Gaspar Nuñez de Arce

Heath's Modern Language Series

EL HAZ DE LEÑA

POR

D. GASPAR NÚÑEZ DE ARCE

EDITED WITH INTRODUCTION AND NOTES

BY

RUDOLPH SCHEVILL

PROFESSOR OF SPANISH IN THE UNIVERSITY OF CALIFORNIA

D. C. HEATH & CO., PUBLISHERS
BOSTON   NEW YORK   CHICAGO

862
n92h

22545

feb 1947

PREFACE

My purpose in offering this play for the use of students of Spanish was twofold; first, to make more generally accessible one of the best productions of the dramatic literature of the nineteenth century, and second, to furnish a simple introduction to the more intricate study of the Spanish drama.

An account of the author's life and writings is given at some length in the hope that the fame of a poet whose name is known throughout Europe may become a little more wide-spread among us. Something worthy of his high achievement remains still to be written.

The historical introduction has seemed necessary for a better understanding of the basis of the play. An effort has been made to introduce only such facts as would make clearer an episode in Spanish history which once caused no little stir at all the courts of the old world. Moreover, since the Prince Carlos of fiction is still better known than the real Prince, the introduction may help to dispel illusions about him.

The notes have been confined to historical matter which could not be touched on in the introduction and to points dealing with Spanish life and culture. The chapter on versification should be of help to students approaching the subject of Spanish verse for the first time.

To express my gratitude here to Professor De Haan is but to record a small part of the debt due to him for valuable suggestions and helpful guidance throughout.

If this edition should gain for the poet only a small portion of the appreciation which he merits, the labor of its preparation will be amply repaid.

R. S.

YALE UNIVERSITY, January, 1903.

INTRODUCTION

GASPAR NÚÑEZ DE ARCE

ON the death of Ramón de Campoamor in 1901, Gaspar Núñez de Arce was left without a peer among the contemporary Spanish lyric poets. Though he is admired chiefly as a writer of verse, his literary activity has nevertheless extended over other fields, and a collection of his works would include numerous articles and speeches, several dramas and short stories, besides the poetry on which his future fame will depend. His extreme modesty has prevented him from making public many of the details of his life which would be of interest, consequently only the chief facts are generally known.

Gaspar Núñez de Arce was born in Valladolid on the fourth of Sept., 1834. While he was still in his childhood, his family moved to Toledo where he spent his youth and completed his university studies. His literary talent manifested itself at the age of fifteen, when he wrote a play in verse, *Amor y Orgullo* (1849), which met with a most favorable reception, and in appreciation of this precocious effort he was voted *hijo adoptivo*, that is, the adopted son of Toledo, by action of the municipal government. But the proper field for his pen was evidently the capital, and to Madrid he accordingly went in 1853 and launched himself in the literary career. As is usually the case with young writers in Spain, journalism attracted him. The opportunities in this field were excellent; several newspapers had just been founded to voice the many political sentiments of the day, and talent was in demand. Within a very short time, he found himself on the staff of the *Iberia* through which he published articles on all current topics of interest. As a correspondent for the same paper he accompanied General O'Donnell in his campaigns during Spain's war with Morocco (1859–1860), and sent his impressions to the *Iberia* in letter-form. They have since been gathered under the title of *Recuerdos de la Guerra de África*, and are to be found among the author's *Miscelánea Literaria*, Barcelona, 1886. The relatively meagre value of his prose, however, merits no comment here. Núñez de Arce's chief medium of expression has been his verse. His various articles and speeches had for the most part only the passing interest which attaches to the ephemeral questions of the day, and even his more labored literary essays, such as his *Discurso sobre la Poesía lírica* (1887), are unconvincing in style and matter.

After returning from Africa, Núñez de Arce continued his journalistic labors for a time, slowly acquiring fame as a poet and even trying his hand at the making of plays. Finally he drifted the way of all contemporary men of letters, namely, into the Cortes, to which he was elected as a liberal deputy in 1865. This was but the beginning of a long political career; henceforth the aspiring poet and the active politician are almost indistinguishably fused. In 1868 he was made Governor of the province of Barcelona, but events at the Capital drew him into their vortex and he re-entered the Cortes in 1869 with the constitutional party. The latter was led by Sagasta with whose political ideas Núñez de Arce identified himself ever afterwards.

This was a time of lamentable political confusion throughout Spain. The country was shaken by uprisings and weakened by unstable government. The dethronement of Isabella (1868), because of her immoral private life and the corruption of her reign, had been followed by an interregnum under the rule of the Cortes with Serrano acting as regent, while another monarch was being sought for the empty throne (1868–1870). The

unpopular reign of Amadeo of Savoy (1870–1873) had led to a
short-lived republic (1873–1874), when the enfeebled and dis-
eased state fell a prey to anarchy. At last the Bourbon family
was restored, Alfonso XII, the son of the exiled Isabella, being
called to the throne (1874).

Though Núñez de Arce favored a constitutional monarchy
and was a supporter of Alfonso XII, he advocated the most liberal views in the Cortes; he warmly supported such democratic
principles as the liberty of the Press and freedom of thought and
speech; he threw his energy into the scale for progress and reform, and strove nobly to help in regenerating his enfeebled
country. He consequently continued to occupy important
political positions. In 1883 he was Minister for the Colonies
(*de Ultramar*) in one of Sagasta's Cabinets; he has held the
position of Under-Secretary of State, and in the Council of
State he has sat as President of the Section for Colonial
Government (1887), of the Section for Agriculture, Commerce
and Public Works (*de Fomento*) and for the Interior (*de Go-
bernación*) (1888), and finally of the Section for Public In-
struction (*de Instrucción pública*) (1894). In 1886 he was made
Senador vitalicio nombrado por la Corona, that is, Senator
for life. It is questionable, however, whether in his entire
political career Núñez de Arce ever had a fraction of the power
which he wielded with his verse. At an early date his poetry
exerted a telling influence on the thought of the Peninsula, and
by the time the doors of the Royal Spanish Academy were
opened to him (1876), he was generally recognized as one of
the leading literary lights of his country. In 1886 he was
chosen President of the *Ateneo*, the most distinguished literary
and scientific society of Spain. The sixtieth anniversary of his
birth (1894) was celebrated by his compatriots throughout the
Peninsula. His birth-house in Valladolid and his home in
Toledo were adorned with commemorative tablets, and the
streets in which they stand have in both cities been named after
nim. Many honors were showered upon him, among them the

Gran Cruz in the Knighthood of merit founded by Carlos III.

If the works of Núñez de Arce on which his fame is based were gathered together, the sum would be found to be surprisingly small. Contrasted with his many literary compatriots, he is by no means a prolific writer, and his achievement does not fulfil, in bulk at least, the promise of his precocious beginning. All of his poetic works of whatever kind could be contained in two moderate octavo volumes. But it is as a lyric poet that he has for the last twenty-five years enjoyed a most extended and well merited popularity both in Spain and in Spanish America. He is not a writer of verse in the ordinary sense. He belongs to that family of Spanish poets who became by chance or choice inextricably bound up in political affairs and who permitted their poetry to take its color from this circumstance. With chronic confusion obtaining in Spain during the nineteenth century, the tone of these poets varied with the nature of the confusion. Quintana (1772–1857), the best example, and most like our poet in spirit, sounded the tocsin against foreign encroachment. He was the inspired voice of patriotism in that noble struggle against Napoleon's rule in the Peninsula. Like him Núñez de Arce raised his voice for his country, but it was not given him to write of any heroic struggle or national triumph. He had fallen on evil days, and his irate Muse expended her fires in anathema of civil wars, corruption and retrogression. Though this political tendency is not at all times uppermost in his verse, the spirit of his writings is nevertheless strongly tinged with the disillusionments of his public career. Politics and poetry may indeed be joined successfully if the poet be called upon to celebrate an epoch which justly arouses his national pride. But the paucity of civic virtue, the lack of virile public characters, the current moral decadence have not proved in these latter days inspiring themes for poets, at least it was not the case with Núñez de Arce. He has lyric quality, and his song often soars to a resplendent height, but when his passions become chiefly political, when his utterances reflect the stern facts of contemporary conditions, then his attitude toward the lyric theme is least attractive. At such moments he does not write for the mere delight of creating. The spirit of the times seems to have tarnished everything; the mystery and beauty of illusions sacred to the poetic temperament have been vulgarly laid bare.

As is the case with every true lyric poet, Núñez de Arce felt at whiles the need of giving vent to a more personal sentiment. Here too, however, we learn that the time is out of joint, for he yields to the spirit of scepticism and mourns over the unfruitfulness of our aspirations in an era without faith. His scepticism is not of the kind which denies the existence of a Divinity; it leads him rather to assert that man today, in that tendency toward detailed scientific research by reason of which he is forced to neglect the large and essential forms of culture, is hopelessly at sea; and it forces him occasionally into a repetitiousness which is not calculated to lend him a rich and varied interest. Here perhaps is a clue to Núñez de Arce's limited productivity. He is not a man of copious original force, and this view is borne out by a certain empiricism, a certain tendency to copy from great models. He has in turn reflected Byron's liberalism, Dante's fierce indignation, and the melancholy pose of the Romantic school, never, to be sure, in slavish imitation, but because his mental attitude was akin to that of these predecessors. Throughout his verse there can be no doubt of his supreme power and skill. Never trite or bombastic, and very rarely extravagant, he is justly held to be the Spanish poet of the greatest polish and dignity of the nineteenth century. He is capable of magnificent warmth and passion, and when his wrath is irrepressible, he is splendidly convincing. On the other hand it would be hard to find verse of finer sentiment, of more delicate expression than can be met with in *un Idilio* or *la Pesca*. It is too early to say how much of his verse, so largely filled with denunciation of national sins, is of abiding worth, or how much is merely the poetry of

a generation. Many of his readers doubtless prefer that portion of his poetry in which he gives expression to more common
human interests. Since he could do this with such perfection
of form and sentiment, it is to be profoundly regretted that he
was not born in more fortunate days. He might have written
in a happier strain, but in the midst of a sombre world, he had
to reflect himself and his time.

> Aquí se desespera, aquí se gime,
> Aquí se llora sangre, aquí el quebranto
> De las pasadas culpas nos redime.
>
> Aquí no tienen en su eterno espanto
> Ni olor las flores, ni rumor las fuentes,
> Ni las medrosas avecillas, canto.

Núñez de Arce's fame was already established when his first
volume of poems, ranging from 1855–1874, appeared under the
title of *Gritos del Combate* (1875). This volume is thoroughly
representative of his talent, containing as it does, poems which
strike every characteristic note. Among the very best may be
mentioned: *¡Treinta Años!* (1864), his most personal expression, the sonnet *Á España* (1866), *La Duda* (1868), *Estrofas*
(1870), on the dangers of civil war and a plea for righteous liberal government, *Miserere* (1873), his sorrow over Spain's
downfall, *Á la Muerte de Don Antonio Ríos Rosas* (1873), and
Tristezas (1874). Others highly regarded in some quarters are:
Raimundo Lulio (1875) which forcibly voices the poet's opposition to the encroachment of science, and *Á la Patria* (1876)
which is a fine expression of his poetic disillusionment. Two
other collections of shorter verse are the *Versos Perdidos* (1855–
1885) in the *Miscelánea Literaria* mentioned, and the *Poemas
Cortos* (1895).

His longer narrative poems made their first appearance by
means of public readings at the theatres of Madrid, and were
subsequently published separately, each with an introduction.
Freest from any political tone is *Un Idilio* (1878), which its

author calls an attempt at the "intimate, familiar and pathetic."
La última Lamentación de Lord Byron (1879),* written in *otta-va rima*, the metre so frequently used by Byron, shows Núñez
de Arce preeminently as a philosophical poet and is meant to
indicate the tone which an epic poem would assume, if written
in our, that is, the author's days of doubt and social confusion.
La Selva oscura (1879) is an exquisite plea veiled in allegory and
symbolism, for faith in the midst of prosaic times and a call to
men to hold fast to their ideals even if they be illusions. *El
Vértigo* (1879) represents in a rather external way " the ideas,
sentiments and struggles which characterize our age." It is
written, however, in a graceful and finely-flowing *décima*, a
stanza of ten verses, each of eight syllables. *La Visión de
Fray Martín* (1880),** written in blank verse, has passages of
fine imagery. It represents Luther assailed by the doubts which
troubled the author, thus giving the latter an excuse to hold
forth once more on his favorite jeremiad of what man has done
with man. *La Pesca* (1883) is a simply and vividly told story
of a fisherman's tragedy. It abounds in forceful descriptions
and passages of fine feeling, showing more than anything which
the author has written, the influence of Byron. *Maruja* (1886)
is an additional proof of Núñez de Arce's power of scenic description, but betrays his tendency of setting a meagre plot in
an immense frame. Of *Luzbel* (never completed) fragments
have appeared in Spanish newspapers (1894), but the rich color
and ringing tone of these are fully equal to the author's best
work. *¡Sursum Corda!* (1900), his last publication, is a pathetic
and beautiful lament over the loss of Spain's last colonies joined
with a splendid note of encouragement and hope for a better
future. Núñez de Arce died on the ninth of June, 1903.

It has been said above that Núñez de Arce has tried his

* Cf. Byron's last lament. An English version by H. H. Pütt-
mann. Melbourne, 1895.

** Cf. *Luther im Spiegel spanischer Poesie ; Bruder Martins
Vision. Uebertragen von* Dr. J. Fastenrath. Leipzig, 1880.

hand at the drama also. His success in this field was not great since he wrote with difficulty for the stage and never had much confidence in his own dramatic talent. He modestly acknowledges the slight value which attaches to the majority, at least, of his plays whose number never rose over twelve. Three of these were written in collaboration with the playwright Antonio Hurtado (1825–1878), but Núñez de Arce's share in them is thought to have been relatively slight. For the last thirty years we have had no drama from his pen. This is to be profoundly regretted. His last production, *El Haz de Leña*, is of such superior worth and so free from the defects of all the others, that a continuation in that path might have added much to the value of the modern Spanish stage. The previous efforts of the author never lost their tone of experiment, and ease in handling a plot as well as force of character-drawing were not his gift. His dramas were therefore quickly forgotten and, with the exception of four, are now out of print. These four the poet himself rated as the best of all, and at the instance of his friends they were republished in one volume in 1879. This volume is unequal in workmanship, but the idea by which the author was guided in selecting the four republished was, he tells us, that of presenting such plays as would best serve as specimens of the different styles which he has cultivated.

The first three, *Deudas de la honra* (1st edition 1863), *Quien debe paga* (1867) and *Justicia providencial* (1868) have excellent individual scenes; the versification rises above the easy flow and insipid tone which characterize much contemporary dramatic writing, but as a whole they leave much to be desired. The doctrinal element, the discussion of social problems on the stage, can be made a success only if the painting of customs and presentation of character be convincing. In these matters Núñez de Arce is apt to be vague, and his hesitation to publish any of his plays, because he feared that in the reading they would lose all that they gained when acted, is entirely justified by these three. They abound in those external and ingenious trifles quite effective on the stage, such as talk about duels, rendezvous, timely discoveries and similar expedients of intrigue which are made credible by spirited acting, but which seem trivial as well as mechanical in the mere reading.

The last play of the volume mentioned, entitled *El Haz de Leña* (1st edit. 1872), has been called the most dignified Spanish play of the whole nineteenth century. In it the author has successfully struck an indubitably Spanish note. As a historical work, "free, as he says, from all prejudices or political tendencies," true to its sources, yet leaving the imagination sufficient play to satisfy the poet, it merits the highest praise. The exposition is masterly, for we are at once made acquainted with that powerful personality which dominates the whole play. If the author appears to present Philip II in more favorable colors than he merits in reality, it must be remembered that our Anglo-saxon views have never done Philip justice, and that with his own people, at least, his popularity was very great. Núñez de Arce therefore draws Philip in harmony with the more lenient Spanish view. His personality, as shown in the play, is of nerve and sinew, and sufficiently true to give the spectator a correct picture of him. Especially the conflicting passions agitating father and king are drawn with the highest skill.

That Don Carlos could not have been made the hero of the play without distorting the historical facts beyond recognition, justifies the inferiority of his rôle to that of Philip. The choice of those elements which would make him a successful stage-figure was limited. These were his opposition to his father and his restless, intriguing, ambitious disposition. To give the play added dramatic interest, the figure of Catalina, a pure and simple girl, who loves the Prince and is loved by him, is introduced to take the part played in the legendary accounts by Elizabeth of Valois, his stepmother. If an element of love was to be introduced, something new and plausible was naturally preferable to the absurd stories believed until the true Prince became known. Catalina's rôle is a passive, almost an idyllic one. Bound to the Prince's fate, she is destined to suffer his lot. Both are of frail substance, and it is evident that they must break in the clash with Philip's iron will. But the poet has emphasized admirably, that the Prince's fall is the inevitable result of his wilfulness and ambition in conflict with the King's inflexible spirit.

The dramatic movement centers about the second act, the meeting of the conspirators. Apart from the added dramatic intensity caused by the fact that the conspirators are unaware of Philip's presence in an anteroom, it remains an open question whether this method employed by the King to acquaint himself with the conspiracy is not of too melodramatic a nature to harmonize with the severe dignity of the play. That the author is fond of melodramatic effects cannot be denied. Both the detailed narrative of the burning of Don Carlos de Sesa, which consumes the greater part of the time of the conspirators, and the story which Cisneros recites but a few seconds before the arrest of Don Carlos, are of this nature. The acts are well linked together. The climax being attained in the third act, the last two sink to a lower dramatic level and assume a pathetic rather than a tragic tone with the loves of Carlos and Catalina in the foreground. Throughout the noble tone of the drama is sustained; the tragedy of the Prince's fate is softened by the impressive reconciliation of father and son at the close and by the overthrow of the evil which hastened his untimely end.

HISTORICAL INTRODUCTION

THE chief personage in the drama *El Haz de Leña*, to whom we are introduced at the first rising of the curtain, is Philip II, king of Spain from 1556 to 1598, the time of that country's greatest expanse and power. He was the son of Emperor

Charles V and Isabella of Portugal, and was born at the old
Spanish capital, Valladolid, on the twenty-first of May, 1527.
His education, conducted as it was by Spanish priests, was in
marked contrast with the cosmopolitan training of Charles V;
it was Spanish to the core and severely Roman Catholic.
Though he appears to have been affable and attractive in his
youth, he developed in middle life the same gloominess and
melancholy which had been akin to insanity in his grandmother
Juana, called *La Loca*, the Mad, which had darkened Charles
V's last years and similarly affected Philip's sister Juana. The
grafting of religious bigotry upon a disposition such as this
was bound to prove dangerous to all ideas of tolerance and to
any sympathy with thoughts and policies not Spanish.

To understand clearly Philip's character and the motives
which prompted his actions, it is necessary to understand his
conception of absolutism. He considered himself the chosen
hand and voice of the Almighty whose cause was identical with
his own, nor could the many reverses which characterize his
reign ever persuade him that he had not been acting in the
interests of God only. Set by a divine trust high above his
subjects, he exacted from them at all times unconditional sub-
mission to his will. His belief in his superiority to all men reflected itself in his bearing toward those admitted to his presence. His manner of speech was grave and dispassionate,
and though his tone was often so low that ambassadors in au-
dience failed to catch what he had said, no one dared to ask for
a repetition of any utterance. He was never known to fall into
a passion or to show great emotion under any circumstances
whatever. The aloofness which he assumed was made more
pronounced by the distrust with which he met all who had any
dealings with him. He was a genius at dissimulation, and was
wont to say that great princes who divulged their purposes, did
so with the intention of doing the exact opposite. This quality
coupled with a certain vindictiveness made the saying current,
that the distance between the king's smile and the knife was

measured by the thickness of the knife. The exalted charge, however, which was given to Philip by the Almighty, did not manifest itself in love of external display. His tastes were most simple, his dress was elegant without ornament, his appetite very moderate, his inclination to quiet and seclusion extreme. With advancing age he grew more and more austere, lost all taste for amusements, feats at arms and tourneys, and became self-centered and unapproachable. His last years were spent in close monastic seclusion at his country residence of the Escorial.

In the history of statecraft Philip's position is peculiar. The leading characteristic of his administration has won him the title of the great *Cunctator* among modern European statesmen. His rule was to have all the business pertaining to his vast realm pass through his own hands. This system, limited to Spain, might conceivably have been successful; applied to the world, utter failure was a foregone conclusion. He was even wont to revise the minutes of his secretaries before affixing his signature in the peculiar Spanish form, *Yo el Rey*. The delays which such a system was sure to bring about were made still more extensive and fatal because of Philip's personal habit of procrastination. His inability to reach a decision without a deliberation extending through days and weeks was the cause of many irretrievable blunders, and diplomats were wont to say that nothing was so unendurable as negotiation at the Spanish capital. It must, however, be remembered in extenuation, that Philip inherited a vast number of antagonistic sovereignties to which the same rigid principles of government in no way applied. Striving incessantly to uphold Spanish interests, and being therefore inclined to govern exclusively for the good of the Spanish Peninsula, he was utterly incapable of grasping the spirit which actuated his remote possessions in their protests against the exactions of his administration. His purpose was to uphold throughout his dominions the Catholic faith and the Spanish policy without concession and at all cost; he therefore mercilessly persecuted heretics and rebels abroad as well as at home.

In recalling these actions which have brought so much obloquy upon Philip's memory, it cannot be emphasized too strongly that he was at bottom impelled solely by the staunch sincerity of his faith, by the conviction that he was actually dispensing divine justice. No considerations of any kind could enter where it was a question of preserving that absolutism by which he was accomplishing the will of God. For treason and heresy, every subject of his realm was visited with the same punishment. He is quoted as having said, that for opposition to State or Church even his own flesh and blood would find no mercy at his hands. This threat he seems to have made good in part at least, in the case of his first son, Don Carlos. For three hundred years it was generally believed that this ill-fated Prince, accused of sedition and heresy, had been put to death by his implacable father. In taking up this subject for his play, *El Haz de Leña*, Núñez de Arce has adhered for the most part to the historical facts, but compelled by the exigencies of his plan to modify the truth, he has introduced some elements taken from tradition and fiction.

In 1543, when he was in his sixteenth year, Philip II had married Mary, Princess of Portugal, and two years later a son was born to them. The history and early death of this son Don Carlos had been the subject of numerous poetic and dramatic creations before Gaspar Núñez de Arce in 1872 gave to the stage the present play. The conventional figure of a young prince, heir-apparent to the most extended realm of the 16th century, deprived of his heritage by an adverse fortune, was early recognized as an admirable theme for romance and tragedy. Upon this stem were grafted a tale of hopeless love, the tyranny of a jealous and cruel father and an untimely end by imprisonment and assassination. This was the story of Don Carlos which was generally accepted until 1863, when investigation brought to light the real facts. In that year Louis P

Gachard, sent to Spain by the Belgian government, to make historical investigations of Spanish rule in the Netherlands, published a work entitled, *Don Carlos et Philippe II*. Gachard's researches were based on Philip's voluminous correspondence, on state documents and private letters preserved in Spain, and certain additional bodies of diplomatic correspondence found in the capitals of Europe. Since Gachard's day other investigators have followed without adding materially to our knowledge of the subject.

Don Carlos, named after his grandfather Charles V, was born on the 8th of July, 1545, at Valladolid. His mother died four days later, and the boy was brought up under the guardianship of his aunts, one of whom, Juana, was a gloomy, religious mystic. It was thought for a long time that he would be dumb, for he could not pronounce a word before his fifth year. At the age of seven he was taken out of the hands of the women and was given a preceptor in the distinguished and learned Honorato Juan, a man of ancient and noted family. Under him the Prince showed some talent, but no tendency to apply himself. He was pale, feeble and took no exercise. In view of the fact that he was already the lamentable product of repeated consanguineous and early marriages, the hothouse atmosphere bred by court-etiquette, together with the ignorance displayed by his household in his training, served only to develop his constitutional imperfections. Frequently recurring fevers, which the court-physicians could not break, sapped his strength and dwarfed his mental energies. His meals were uncontrolled and he gorged himself at intervals if so inclined. It is curious to note that he had this habit in common with his grandfather, Charles V. At the age of twelve he is depicted as cruel, foolhardy, pompous, ill-tempered and obstinate.

In 1560 Philip married Elizabeth of Valois, a French princess who was of the age of Don Carlos and who had been intended for him before the king decided to take her for himself. This simple fact together with her death shortly after the Prince's demise gave rise to the legends which told of their love and the father's jealousy, and which are without any foundation whatever. No other incident marks Don Carlos's youth and we pass to his early manhood.

With the fevers still burning in his weak body, he was taken for a change of climate to Alcalá de Henares, the seat of one of the universities. Here, at the age of seventeen, he fell down a narrow flight of stairs head foremost, and lay for many weeks at death's door. He had sustained a fracture of the skull, which led in a short time to a complication of cerebral inflammations and finally to a paralysis of the right leg. Nine physicians in consultation declared that their united ignorance was insufficient to meet the case. However, they tried the expedients of purging and blood-letting to the point of exhaustion. Then religion was resorted to and the Holy Sacrament was ordered to be carried in procession through all the leading cities of the realm. The relics of a monk whom Philip afterwards wished to have canonized for his supposed aid, were brought to the bedside for the patient to touch. As a last resort the skull was trepanned in a bungling operation, and he recovered. This experience must have contributed little to the increase of his mental and physical qualifications, for we read that in the year of this accident he weighed only 76 pounds. At the age of nineteen we have the following detailed picture of Don Carlos from the pen of the Austrian ambassador at Madrid: "The Prince is fairly good-looking, his features are not disagreeable, his hair is brown, his forehead is rather low, his eyes are gray, his face is very pale. He is neither broad-shouldered nor tall, and one of his shoulders is higher than the other. He is flat-chested and slightly hump-backed.——His left leg is longer than his right.—— His voice is high and thin, and he utters his words with difficulty, pronouncing "*l*" and "*r*" badly. He can, however, make himself understood quite well." From other sources we learn that he was irascible and at once resorted to violence when aroused. A story current in Madrid and credited by the ambassadors relates that one day the Prince's shoemaker brought his master a pair of very ill-made shoes. The Prince in a great rage had them cut up and fried, and made the shoemaker eat his shoes then and there. By some he was considered half-witted because of his inactive, dull ways and his indifference to such necessary chivalric exercises as the practice of arms and horsemanship. There is also plentiful evidence that he was restless, irresponsible and unhappy. If to these physical and mental traits we add his well-known gluttony, the Prince of romance is dissolved into air.

At this age, projects for marrying Don Carlos were frequently broached. He was considered a most desirable match, and the reigning houses of Europe sought the alliance eagerly. Among the many candidates, the Prince's choice seems to have been Anne of Austria, daughter of Emperor Maximilian II, and later Philip II's fourth wife. It is probable that nothing but the physical and mental weakness of his son prevented Philip from effecting this marriage.

The great political occurrence of the last years of Don Carlos and the only one with which his name was destined to be associated, was the revolt of the Netherland provinces. The majority of the provinces constituting the Netherlands or Low Countries had been linked to the destiny of Spain by a chance circumstance, the marriage of Philip of Austria (1478–1506), heir to the provinces, with Juana, daughter of Ferdinand and Isabella, and heiress of the Spanish throne. Charles V, son of Philip and Juana, united under his sway seventeen Netherland provinces, and his rule (1506–1555) marks one of the most flourishing epochs in their history. But in spite of their prosperity, ominous disturbances were not infrequent. Charles had been very anxious to preserve religious and political unity, a policy which, though difficult, was not impossible, since the Protestant reform-movement had not yet taken deep root, and because he himself, as a native of the country, was popular with the people. Toward the end of his reign, however, murmurs against the power of the Church began to be heard. He therefore promulgated very severe decrees against heresy, and executions of heretics were numerous. In 1555 Charles handed the Netherlands over to his son Philip, whose aim was to continue his father's policy of religious and political unity as seen from the standpoint of Spanish absolutism. His inelastic and intolerant methods early awakened suspicion in the Netherlands, and events which were bound to inspire antipathy to Spanish supremacy constantly kept multiplying. Philip, on departing for Spain in 1559, had refused to withdraw a large contingent of Spanish troops, and his rule thus assumed the appearance of foreign and despotic overlordship. The Low Countries interpreted this step as the inauguration of a policy of subjugation. The financial exactions of the king's agents were more than the Netherlanders would endure, and the fact that Philip took all his measures without deigning to consult, as he had pledged himself to do, the opinion of nobles and burghers, was a menace to the chartered liberties of these two classes such as could have but one meaning—the loss of those liberties. Finally, the cruel and arbitrary way in which edicts against heresy were enforced by the Inquisition was resented by the advocates of religious reform, among whom the vigorous Calvinists began to take the lead.

The Netherlands began legally enough, by sending petitions and delegations to Philip to suggest reforms, and above all a mitigation of the decrees against heresy as executed by the Inquisition. But the king dealt with these requests in his usual procrastinating way and demanded time for deliberation. His decision, when made, was fatal; rather than adopt a policy of toleration for heretics, he would lose a hundred thousand lives if he had them. He declared that heresy was to be stamped out ruthlessly. Open revolt dates from the time of this decision (1566); it began by the nobles meeting to express their dissatisfaction. Thereupon the State Council chose the Marquis of Berghes and Baron Montigny to lay renewed remonstrances before Philip. The choice of these two was unfortunate, for Philip considered them but lukewarm Catholics. Their audiences with him were entirely fruitless. He grew irritated with them and finally withdrew what concessions he had at first been inclined to make. Their position at court became precarious and when news came of open rebellion, accompanied by the sacking of churches and monasteries, the excitement at Madrid was so intense that the commissioners no longer dared to appear in public.

An unfounded story says, that when the emissaries who had been sent to Madrid from the Low Countries on the occasion of the first disturbances were unsuccessful in their mission with the King, they incited Don Carlos to leave Spain and go to the rescue of the oppressed provinces; it adds that Count Egmont, sent in 1565, began the conspiracy with the Prince, and that the Marquis of Berghes and Baron Montigny, the later emissaries, continued the practices of Egmont. No ground for such statements has been found. Berghes and Montigny always professed loyalty to Philip II and would have hesitated to enter into clandestine relations with his feeble-minded son. The conspiracy between Don Carlos and these men may be treated as a legend which arose in consequence of arrests that were subsequently made.

Upon hearing of the renewed insurrection in the Low Countries, Philip decided upon the most vigorous methods, sending the Duke of Alba north with ten thousand soldiers to reduce the rebels by force. The power in the Netherlands fell without difficulty into Alba's hands (1567), and for a while his reign of terror hushed all opposition. His *Council of Blood,* a tribunal which assumed the authority of a court-martial, brought hundreds to the scaffold on mere suspicion and without regular trial. Among its victims were Count Egmont and Count Hoorn. At Madrid Philip did his part in this general persecution by ordering the arrest of the Marquis of Berghes and of Baron Montigny.

An important personal circumstance of the last years of Don

Carlos was the growing estrangement between him and Philip II. Differences of character between father and son had gradually developed and taken too deep a root to admit of any cordiality. In the hope that the young man would gain experience in state matters, Philip had made him President of the Council of State, but he only caused confusion there by his incapacity and his violent and arbitrary demeanor, and had to be withdrawn. The anger of Don Carlos, aroused by this incident, was augmented by the failure of his cherished hope to visit foreign countries. At this time Philip had planned a journey to the Netherlands on which Don Carlos was to accompany him. When this voyage was put off from the fall of 1567 to the spring of 1568, it is likely that the Prince made independent plans culminating in a scheme of escape. For the execution of this plan he needed funds, but his credit throughout Spain had been hopelessly ruined by his extravagance. Little money was therefore at his disposal. Moreover only a few nobles replied favorably to his urgent persuasions to accompany him. Then in an unfortunate hour he confided his plans to Don Juan de Austria, the King's half-brother and a most loyal subject. Upon hearing through Don Juan of the awkwardly conceived plot, the King's decision was rapidly made. If to the son's other misdemeanors, already a byword at court, intrigue and sedition were to be added, the King considered himself released from his paternal obligations; he resolved to look to the safety of the state. For now it was no longer the case of son against father, but the case of a subject menacing the state and the royal prerogative, who must therefore be disarmed and put under restraint. On the 18th of January, 1568, an hour before midnight, the arrest of Don Carlos took place under the surveillance of Philip himself. The poor Prince's despair was extreme. He tried to throw himself into the fire and was only with difficulty restrained by the attendants. Then the King adopted a number of seemingly needless precautions. The windows were nailed fast; the Prince was handed over to the watchfulness of a body of attendants; his intercourse with the outer world was completely cut off.

To allay the astonishment caused at court and in the diplomatic world by the arrest, Philip at once took proper measures. His constantly repeated plea was that reasons of state, and the mental and physical defects of the Prince demanded the restriction of his liberties. To the Pope alone he wrote that the Prince's imprisonment would be permanent. The young man lived only six months more and these months are only partially cleared up. It is probable that his death was in part due to lack of proper care. That Philip was entirely responsible for this lack cannot be proved, but we can without hesitation accuse him of hardness of heart and shameful neglect of one who, though feeble-minded and poorly endowed and guilty of many misdeeds, was yet his son. But one of Philip's leading characteristics was, that when once wounded in his pride, he never forgot nor forgave. At the end of a week the Prince was removed to a tower with one grated window which admitted the light from above. He tried suicide by starvation, but a few days of abstinence only did his overtaxed stomach good. Failing in this, he attempted all kinds of violence to himself; on one occasion he swallowed some jewels, on another, being overcome by fever and the heat of his cell, he had the tiling sprinkled and his bed cooled with snow. His last feat was the devouring of a meat-pie containing four partridges which he ate, crust and all. To quench the ensuing thirst, he drained off 300 ounces (11 quarts) of water cooled by snow. This act successfully wrecked the last energy of his digestive organs and on the morning of July 24th, 1568, he died "the death of a good Christian." Since 1573 his remains repose in the Mausoleum of the Escorial. His history was hushed up and nothing of importance was divulged after his death. Nobody, however, could silence the legends which kept growing and which were gathered for the first time in the French novel *Don Carlos, Nouvelle historique*, by the Abbé Saint-Réal. (Cf. Bibliogr. note.)

A comparison of the facts just given with the plot of *El Haz de Leña* would show to what extent Núñez de Arce has made use of history. The opening scene of the drama could not have been better contrived to introduce us to Philip II and his surroundings. On the other hand the plot grows more and more unhistorical in the gradual interweaving of the other characters. At bottom Núñez de Arce has preserved only a *drame intime* from Philip II's life, presented in an embellished form. An unfortunate son of intriguing, restless, vicious disposition, ill-fitted for the exactions of his splendid birthright, is contrasted with a father marked by prudence, self-possession and a lofty conception of his kingship. This contrast is thrown against the historical background of Spain's struggle with the Netherlands, though the introduction of this struggle is responsible for the unhistorical second act with its conspiracy between Don Carlos and the emissaries of the Low Countries. Apart from the more presentable and poetic frame in which the third act is cast, the arrest of the Prince is here given as accurately as the stage can hope to do such things. Historical color is further added in the narratives of the details of contemporary events and in touches of character-drawing or phrases actually reported and handed down to our day. This gives the action the spirit of reality at the same time calculated to present a vivid picture of the times.

VERSIFICATION

I.

Spanish verse may be conveniently divided into two classes; for the first *assonance*, for the second *rhyme* is the distinguishing mark. Assonance is the correspondence in sound of the *vowels only*, rhyme, of the vowels *and* of the consonants following those vowels, in words which stand in a definite position with regard to one another, that is, at the end of the verse. Thus cr*u*z*a*, llan*u*r*a*s and f*u*ri*a*, coming at the end of their respective verses (ll. 32, 34 and 36) are assonant, while rig*ores* and ll*ores* (ll. 148 and 149) constitute a rhyme. There are no feet in Spanish poetry, the poet being guided only by the number of syllables demanded by the verse.

1. ASSONANT VERSE: — The only kind to be considered is the *romance*, so called from its prevalence in the early Spanish *Romances* (poems dealing with heroic, legendary or traditional material). The number of verses of this form is indefinite; ordinarily each verse counts eight syllables (cf. verses 1 and 2 below) assonance taking place in the last two syllables of the even verses, i.e. the 2nd, 4th, 6th, etc., where the stress also must fall. The *romance* may have verses of seven syllables, but Núñez de Arce employs these only in the odd or non-assonant lines (cf. verse 5). Example of assonance:

> En el exponen que V*u͡e*stra
> 2. Majestad, firme col*u*mn*a*
>   de la͡ Iglesia͡ y del Estado,
>
> 4. cuyo sosiego pert*u*rb*a*n
>   la͡ herética praved*a*d (7 *syllables*).
> 6. y la rebelión inj*u*st*a*, etc., ll. 9–14.

The assonance itself may be greatly varied; el *Haz de Leña* has the following nine combinations of vowels, each *romance* being characterized by a different combination: *u-a, a-e, o-o, e-o, o-e, e-a, a-a, o-a, e-e*. The assonance is not always exact, but permits a slight deviation in the correspondence of sounds. When two vowels compose one assonant syllable, the predominating (strong) vowel is the assonant one. The following scheme will give the assonant combinations with examples of all their deviations:

u-a		*o-o*		*o-e*		*o-a*	
*u-i*a	line 26	*o-i*o	line 562	*o-i*	line 1250	*o*i-a	line 2352
———		*o*i-*o*	line 570	*o-ie*	line 1324	*o-i*a	line 2356
a-e		*o-u*o	line 608	*o*i-*e*	line 1364	———	
*a-e*i	line 276	*o-u*	line 636			*e-e*	
a-i	line 328			*e-a*		*e-i*	line 2800
*a*i-*e*	line 350	*e-o*		*e-i*a	line 1770		
		*e-i*o	line 962				
				a-a			
				*a-i*a	line 1916		
				*a*u-*a*	line 1968		

Some of the assonant verses end in *esdrújulo*, that is, a word accented on the antepenult, which *at the end* of a verse always counts as *two* syllables, namely the antepenult and ultimate. The cases are; *cúpul*a, line 94; *súplic*as, line 104; *dómin*us, line 682; *lástim*a, line 2022; *quédat*e, line 2774. Elsewhere in the verse *esdrújulos* count as *three* syllables. In verses, lines 636 and 682, the *u* of the Latin endings *um* and *us* is assonant with *o*. Cases of the assonance of *i* with *e* are limited to adjectives in *il;* ex. lines 328, 1250, and 2800.

2. RHYMED VERSE:—*a.* · The most used is the *redondilla*. This consists of a stanza of four verses, the rhyming verses counting seven (cf. verses 2 and 3 below) or eight syllables (verses 1 and 4). In those of seven syllables, the last syllable is stressed. The order of the rhyme-scheme is *abba, cddc,* etc.

> *a.* ¡Qué implacable estáis conmigo! (*8 syllables*).
> *b.* No con falta de razón. (*7 syllables*).
> *b.* Moderad vuestra ambición, (*7 syllables*).
> *a.* ó sentiréis el castigo. (*8 syllables*).

    c. Pues bien : haced lo que os cuadre;
    d. á todo estoy resignado.
    d. Ya sé que el cielo me ha dado
    c. un tirano en vez de padre. ll. 437–444.

b. The *quintilla* :— This consists in a stanza of five verses, the rhyming verses counting either seven (cf. example 4) or eight syllables (cf. example 1). No three rhymes may follow one another, the complete scheme of possible variations being 1. *aabab*, 2. *aabba*, 3. *abaab*, 4. *ababa*, 5. *ababb*, 6. *abbaa*, 7. *abbab.* *El Haz de Leña* has all except the fifth variation :

  1. *a*–Expláyese ͡ el alma m*ía* (*8 syllables*)
      a–lejos de ͡ esa turba ͡ imp*ía* (*8 syllables*)
      b–que me sigue y acomp*aña,*
      a–que me ͡ adula ͡ y que me ͡ esp*ía,* (*8 syllables*)
      b–que se postra y que me eng*aña.* ll. 710–714.

  2. *a*–Y la bélica armon*ía*
      a–de la militar porf*ía*
      b–en mi corazón resu*ena,*
      b–y mi cerebro se ll*ena*
      a–con las glorias de Pav*ía.* ll. 765–769.

  3. *a*–Y mudo, asombrado, y*erto*
      b–al mirar su rostro alt*ivo,*
      a–juzgo, de rubor cub*ierto,*
      a–que viene á quejarse mu*erto*
      b–del ocio infame en que v*ivo.* ll. 770–774.

  4. *a*–Y así como van al m*ar* (*7 syllables*).
      b–en rauda y continua gu*erra,*
      a–yo también iré ͡ á par*ar* (*7 syllables*).
      b–á un breve espacio de t*ierra*
      a–que por fuerza me ͡ han de d*ar.* V, ll. 2865–2869.
           (*7 syllables*).

6. *a*–¡Que tan criminal intento

    b–abrigue! ¡Que así me hiera!

    b–Ocultárselo quisiera

    a-á mi propio pensamiento.

    a–Vergüenza, vergüenza siento, etc. ll. 359–363.

7. *abbab*, cf. ll. 2900–5.

c. The *hendecasyllabic* verse, that is, rhyming couplets of eleven syllables each :

> buscar á mi mujer para regalo,
>
> pedir un beso — y recibir un palo. ll. 1823–1824.

II.

To obtain the number of syllables required by the verse, two, three, and even four contiguous vowels may count as one syllable, an intervening *h* being the only consonant that does not necessarily prevent elision.

> Pues si el hubiera sabido
>
> ¡monstruo! que tú le engañabas,
>
> ¿no ves que te hubiera muerto,
>
> como á traidor, por la espalda? ll. 2073–2076.
>
> ¡Rueda, desdichado, rueda
>
> al precipicio! Ahoga en cieno etc. ll. 1387–1388

The treatment of certain combinations of contiguous vowels, even in the same word, is not uniform throughout. Variety is usually due to emphasis or the position of the word in the verse, or to the demands of rhythm. The following examples may be noted: *crüel* and *huir* always count as two syllables. The treatment of *ahora* varies: it is *ahora* in unemphatic medial position (l. 569) and *a |hora* in assonant position (l. 2422). In *lealtad* (deslealtad) l. 1527 there are but two syllables, while *lealtad*, l. 178, counts as three, the difference being due to the demands of the rhythm. *V* between vowels, and *hi* in words beginning with *hie* (where *i=y*) prevent elision. Examples for the latter cases are:

> ni la grandeza | y⌢alcurnia l. 26.
> la | hi⌢el de mi corazón l. 717.
> Qué dulcemente me | hier⌢e l. 2605.

H before the last stressed vowel of the verse may prevent elision:

> de mi⌢espada⌢aunque te | honre l. 1336 (assonant)
> Maldiga⌢el cielo la | hora l. 2001 (non-assonant).

In a different position of the verse with a similar combination, elision takes place:

> que⌢honran su prudencia suma l. 8.

Elision is also prevented by *u* between vowels and *hu* in words beginning with *hue:*

> Ni qué pretexto | u⌢excusa l. 1631.
> No | huelgan las precauciones l. 1901.

The treatment of *tú eres* depends on position; at the close of an assonant verse no elision takes place:

> Desesperación, tú | eres l. 2634.

while a medial position admits elision:

> de mí? Tú⌢eres, Catalina l. 2240.
> ¡Hermana! ¿Tú⌢eres mi⌢hermano? l. 2991.

The Spanish language naturally infers an *e* before *Spíritu,* since no Spanish words can begin with *sp,* and the verse reads:

> et (e) Spíritu— ¡Ay, me⌢a|hogo! l. 596.

Compare the treatment of *ahogo* with *ahoga,* line 1388 above in connection with what was said about *ahora.*

III.

Monotony is avoided by a frequent change in rhythm, which is effected by varying the voiced stress:

(here indicated by accent)

Es del Príncipe de Astúrias
confidénte y consejéro.
Razón que a vérle me impúlsa. ll. 106-108.

Que en árte tán singulár
mi debér es divertír
al vúlgo, y le hágo reír. ll. 135-137.

In using the different metrical forms of the *romance*, the *redondilla* and the *quintilla*, the discrimination in using each kind only for some specific kind of dramatic feeling is not at all rigidly made in this play. The *romance*, however, prevails in scenes whose nature is expository or narrative, (cf. Act I, scenes 1 and 6) in which new characters are introduced, (cf. Act II, scene 7) when action and dialogue are dramatic rather than lyric or pathetic, (cf. Act III, scenes 9 and 10). The *redondilla* appears in scenes which show a somewhat more rapid dramatic movement, or which display the mainsprings of plot and character, (cf. Act I, scene 4; Act II, scene 8; Act III, scene 3). In the *quintilla* the strain of the action is less great, and the lyric or pathetic tone prevails; it is used in scenes marked by emotion rather than movement, (cf. Act II, scene 5; Act V, scene 4).

SCHEME OF VERSIFICATION.

Act I,   1- 126 *romance* (asson in u-a)
       127- 266 *redondillas*
       267- 358 *romance* (a-e)
       359- 368 *quintillas*
       369- 532 *redondillas*

Act II, 533– 694 *romance* (o–o)
        695– 914 *quintillas*
        915– 972 *romance* (e–o)
        973–1240 *redondillas*

Act III, 1241–1370 *romance* (o–e)
        1371–1698 *redondillas*
        1699–1882 *romance* (e–a) interrupted by
        1819–1834
        1843–1848 } *hendecasyllabic* couplets
        1883–1894 *redondillas*

Act IV, 1895–2094 *romance* (a–a)
        2095–2334 *redondillas*
        2335–2448 *romance* (o–a)
        2449–2612 *redondillas*

Act V, 2613–2824 *romance* (e–e)
        2825–2974 *quintillas*
        2975–2994 *redondillas*

BIBLIOGRAPHICAL NOTE

I. On the history of the subject: 1. Cabrera de Cordoba, *Historia de Felipe II*, last edit. (*publicada de Real orden*) 4 vols., Madrid, 1876-77. Cf. vol. 1. 2. Gachard, L. P., *Don Carlos et Philippe II.*, Brussels, Emm. Devroye, Imprimeur du Roi, 1863. 3. Sainte-Beuve, C. A., *Nouveaux Lundis*, Paris, Michel Lévy Frères, 1863-70; Vol. 5, p. 281, contains a review of Gachard's work. 4. Forneron, H., *Histoire de Philippe II.*, 4 vols.; Paris, Librairie Plon, vols. 1 & 2, 3rd edit. 1887; vols. 3 & 4, 2nd edit., 1882. 5. Hume, Martin, *Philip II. of Spain*, London, (Foreign Statesmen Series) Macmillan & Co., 1897.

II. On the life and works of Gaspar Núñez de Arce: (Some of the facts given in the introduction were obtained from material in the National Library at Madrid.) 1. Johnson's Universal Cyclopædia, New York, Appleton & Co., 1893-95; articles on contemporary Spanish men of letters by Prof. A. R. Marsh. 2. Diccionario Hispano-americano de Literatura, Ciencia y Artes, Barcelona, Montaner y Simón, 1887-99. The article on Núñez de Arce contains some inaccuracies. 3. Menéndez y Pelayo, M., *Estudios de Crítica Literaria*, 1a serie, 2a ed. Madrid, 1893. The essay on Núñez de Arce in this volume was originally written for a collection of modern dramas,

Autores dramáticos contemporáneos, Madrid, Pedro de Novo y Colsón, 1881-85 (1886). Cf. vol. 2, p. 293. 4. Blanco García, P. F., *La Literatura Española en el Siglo XIX*, 3 vols., Madrid, 1891. Cf. vol. II. 5. Del Castillo y Soriano, José, *Núñez de Arce*, Madrid, 1904.

III. Works of fiction, history etc. dealing with the subject of Don Carlos : 1. In a *Collection of Novels* translated into English "by Eminent Hands" and published by Samuel Croxall, London, 1729, 6 vols., the 3rd vol., pp. 5-73, contains a translation of a French novel, *Don Carlos, Nouvelle historique* (1672), by the Abbé Saint-Réal. This novel may be considered the source of the various legends concerning Don Carlos which have found their way into literature since Saint-Réal's day. 2. Brantôme, Pierre de Bourdeille, Seigneur de, in his *Vies des Grands Capitaines* (cf. articles on *Philippe II, Roy d'Espaigne* and *Dom Carlos*, vol. 2, pp. 71-108, edit. Paris, 1864-82) gives the reports believed at the close of the 16th century about the manner of Don Carlos's death. Dramas : 3. Diego Ximénez de Enciso (1585-?1632) *El príncipe Don Carlos*, written ?1621. Cf. *Comedias de Varios Autores, Parte veynte y ocho*, Huesca, 1634 ; also another version (*suelta*), Valencia, 1773. 4. Juan Pérez de Montalbán (1602-1638), *El Segundo Séneca de España y el Príncipe Don Carlos*, in author's *Para Todos*, Huesca, 1633. These two plays are historically quite accurate, the first taking much of its plot and character-drawing from Cabrera's history (cf. above) ; the second seems to have used the first as a model. In both Don Carlos is represented as sickly, ungovernable and hostile to Philip who is obliged to put him under restraint. No. 3 may be considered a masterpiece of the Spanish stage. Unfortunately, neither 3 nor 4 is available in a reprint. 5. Thomas Otway, *Don Carlos, Prince of Spain*, (written 1675) ; cf. Select Dramas, Mermaid Series, London, Vizetelly & Co., 1888. 6. Vittorio Alfieri, *Filippo*, (first version written in French 1774, in Italian 1776), cf. vol. 9, edit. Italia (Pisa), 1805-15, 22 vols. 7. Friedrich Schiller, *Don Carlos* (1787), any complete edition of works. Three unimportant French plays on the same subject also exist. 8. To these may be added a poem by Manuel José Quintana, *El Panteón del Escorial* (1805), cf. edit. Rivadeneyra, Biblioteca de Aut. Esp., Madrid, 1846-80, vol. 19, p. 35. 9. Lord John Russell, first Earl Russell (1792-1878), wrote a tragedy, "Don Carlos," 1822.

EL HAZ DE LEÑA

DRAMA EN CINCO ACTOS Y EN VERSO

ORIGINAL DE

DON GASPAR NÚÑEZ DE ARCE

Representado por primera vez en el Teatro del Circo (Madrid)
el día 14 de Noviembre de 1872.

PERSONAJES.

Catalina.
Mónica.
Don Carlos de Austria.
Alonso Cisneros.
Felipe II.
Conde de Lerma.
Don Rodrigo de Mendoza.
El Cardenal Espinosa.
El Príncipe de Éboli.
Barón de Montigní.
Conde de Berghén.
Un Ujier.

Duque de Feria, el prior D. Antonio de Toledo, D. Diego de Acuña, Santoyo, Bernate, caballeros de la corte y monteros de Espinosa.

1568.

SCENE: *The palace at Madrid for Acts I, III, IV, V; the house of Alonso Cisneros for Act II.*

ACTO PRIMERO

Cámara del Rey D. Felipe II amueblada según el gusto de la
época. Puerta en el fondo, y á sus lados los retratos del
Emperador Carlos V y de la Emperatriz doña Isabel. Dos
puertas laterales.

ESCENA PRIMERA

FELIPE II, *sentado junto á un bufete despachando.*
EL CARDENAL ESPINOSA *de pie.*

CARDENAL. (*Entregando al Rey unos papeles.*)
    Esto los doctos varones
    que las diócesis ilustran
    de Canarias y Orihuela,
    contestan á la consulta
    que se les hizo.

FELIPE.   Está bien.   5

CARDENAL. Ambos su dictamen fundan
    en razones de gran peso,
    que honran su prudencia suma.
    En él exponen que Vuestra
    Majestad, firme columna   10
    de la Iglesia y del Estado,
    cuyo sosiego perturban
    la herética pravedad
    y la rebelión injusta,
    debe ahogar los sentimientos   15
    de su alma, y con mano dura,

allí donde el fuego asome,
no consentirle que cunda.
Que la salvación del reino
expuesto á sangrientas luchas,   20
y la paz de las conciencias
alterada como nunca,
exigen pronto remedio,
sin que sirvan de disculpa
ni los lazos de la sangre,   25
ni la grandeza y alcurnia
de los que delincan.

FELIPE.   Cierto.
Cuanto más alta es la cuna
del error, tanto más fácil
es que se extienda y difunda.   30
Más rápido es el torrente
que el arroyo. Manso cruza
el río vegas y valles
y dilatadas llanuras;
pero cuando el sol derrite   35
la nieve y bajan con furia
las aguas de la montaña,
entonces todo lo inundan.

CARDENAL. ¿Es decir que en este caso
Vuestra Majestad se ajusta   40
al parecer de esos doctos
prelados?

FELIPE.   (Con gravedad.)
                      No sé:

CARDENAL.   ¿Y que juzga
preciso?...

FELIPE.   (Con tono más severo.)

PHILIP II

From a portrait by Titian

No sé. El despacho
urge. Excusad más preguntas.
— Seguid. —

CARDENAL.   Fray Diego de Chaves   45
en este papel, renuncia
al cargo de confesor
del Príncipe, por ocultas
razones que ya conoce
Vuestra Majestad...

FELIPE.   Es justa   50
resolución...

CARDENAL.   Asimismo
de esta obligación se excusa
fray Juan de Tobar...

FELIPE.   Tampoco
me sorprende su repulsa.
Mal anda con su conciencia   55
mi hijo don Carlos. ¡Qué oscura
debe de estar cuando todos
sus confesores se asustan!
Proseguid.

CARDENAL. (*Entregándole otros pliegos.*)
         Nuevas de Flandes.

FELIPE. ¿Y qué empresa nos anuncia   60
el duque de Alba, mi primo?
Sepamos.

CARDENAL.   Señor, ninguna.
Pero dice que en la mano
tiene, merced á su industria,
los hilos de una atrevida   65
conspiración, y asegura
que antes de poco, si el cielo

           sus propósitos secunda,
           impondrá á los sediciosos
           el silencio de las tumbas.

FELIPE.   Bocas que de Dios reniegan
           no importa que queden mudas.

CARDENAL. Añade que únicamente
           la espada y la hoguera juntas
           pueden templar la osadía
           de aquella revuelta chusma;
           que el incendio luterano
           por todas partes circula,
           y que es forzoso apagarle
           sin contemplación alguna.

FELIPE.   Como quien es habla el duque.
           Cuando la herejía apunta,
           merecen duro castigo
           hasta que calle y sucumba,
           el corazón que la abriga,
           el labio que la formula,
           la mano que la sustenta
           y el oído que la escucha.
           Haga, pues, lo que es debido
           el duque mi primo, y cumpla
           con Dios y el Rey...

CARDENAL. (*Mostrando nuevos papeles.*)
                   Juan de Herrera
           á presentar se apresura,
           ya reformada, la traza
           de la gigantesca cúpula
           del Escorial...

FELIPE.   (*Examinando los planos.*)
                   Bien. Espero

que será, como obra suya,
admiración portentosa
de las edades futuras.
¿Qué despachos hay de Francia?

ESCENA II

DICHOS, PRÍNCIPE DE ÉBOLI.

ÉBOLI.	Señor . . .
FELIPE.	¿Qué es eso?
ÉBOLI.	Con mucha 100

insistencia y pretextando
que el bien del Estado busca,
el comediante Cisneros . . .

FELIPE. ¡Ah, sí! Cediendo á sus súplicas
hele concedido audiencia. 105

CARDENAL. Es del Príncipe de Asturias
confidente y consejero.

FELIPE Razón que á verle me impulsa.
— Hacedle entrar en seguida.—
Según dicen, es aguda 110
su discreción. ¡Quiera el cielo
que al fin no llore sus burlas!

ESCENA III

FELIPE II, CARDENAL ESPINOSA.

CARDENAL. Señor, merecido fuera
su castigo. Él presta ayuda
al Príncipe en sus excesos 115

y hacia el abismo le empuja.
Porque intenté poner coto
á sus torpes aventuras,
siguióme airado su Alteza
con una daga desnuda   120
por todo Palacio...

FELIPE.   Temo
que el mal tiene más profundas
raíces. Pero si sólo
es de Cisneros la culpa,
yo le pondré á buen recaudo   125
donde ni el sol le descubra.

ESCENA IV.

DICHOS, ALONSO CISNEROS, *postrándose á los pies de*
FELIPE II.

CISNEROS.   Aunque no merezca tanta
merced, señor, mi humildad,
déme Vuestra Majestad
á besar sus pies...

FELIPE.   (*Contemplándole un momento en silencio con*
aire severo y desdeñoso.)
              Levanta,   130
histrión.

CISNEROS.   No niego mi oficio.
Con harta desdicha mía
gano el pan de cada día
en tan penoso ejercicio.
Que en arte tan singular   135
mi deber es divertir

  al vulgo, y le hago reír . . .
  cuando otros le hacen llorar.
  Siempre alegre y bullicioso
  á la plebe satisfago,   140
  y en los entremeses hago
  los papeles de gracioso.

FELIPE. ¿Y nunca has llorado?

CISNEROS.   Sí.

  ¿Á quién el dolor olvida?
  En las farsas de la vida   145
  guardo el llanto para mí.

FELIPE. Quizás conveniente sea
  que conozcas sus rigores,
  porque es posible que llores
  donde mi pueblo te vea.   150

CISNEROS. Harto me someto al yugo
  de mi dura profesión.

FELIPE. Es que yo tengo un histrión
  trágico . . .

CISNEROS.   ¿Quién?

FELIPE.   El verdugo.

CISNEROS. (*Con humildad.*)
  Vasallo sumiso y fiel   155
  ante vos mi frente inclino.

FELIPE. Pienso que estás en camino
  de representar con él.

CISNEROS. ¡Señor!

FELIPE.   Nada hay en tu abono.
  Tienes instintos aviesos,   160
  y el rumor de tus excesos
  llegó á las gradas del trono.

CISNEROS. No es exacto ese rumor,

	¡oh, no! tal vez mi delito	
	consiste en ser favorito	105
	del Príncipe mi señor.	
	Pero la plebe insensata	
	no ve, cuando así me nombra,	
	que hay árboles cuya sombra,	
	llena de perfumes, mata.	170
FELIPE.	Tú la buscas con empeño.	
CISNEROS.	Mi condición lo ha exigido.	
	¿Cuándo el esclavo ha tenido	
	la libre elección de dueño?	
	Si Vuestra Real Majestad	175
	oírme á solas quisiera,	
	acaso se convenciera	
	de mi firme lealtad:	
	que á vuestros pies he llegado	
	tan sólo con este objeto,	180
	porque importa mi secreto	
	á Dios, al Rey y al Estado.	
FELIPE.	(*Al Cardenal Espinosa.*)	
	Salid.	

ESCENA V

FELIPE II, CISNEROS.

FELIPE.	Ya puedes hablar.	
CISNEROS.	Señor, la suerte enemiga	
	quiere y me manda que os diga	185
	lo que fuera bien callar.	
	Esto me impone la ley	
	de vasallo . . .	

FELIPE.	Ya te escucho.
CISNEROS.	Que al Príncipe debo mucho;
	pero más debo á mi Rey. 190
	—¿Á qué encubrir los errores
	ajenos?—
FELIPE.	(*Impacientado.*)
	¡Pronto! ¿Qué pasa?
CISNEROS.	Señor, que es centro mi casa
	de rebeldes y traidores.
FELIPE.	(*Sorprendido.*)
	¿De traidores dices?
CISNEROS.	Sí. 195
FELIPE.	¿Y quiénes son en Castilla?
CISNEROS.	Los flamencos que acaudilla
	el barón de Montigní.
FELIPE.	Mi justicia irá á buscarlos.
CISNEROS.	Hará muy mal en entrar, 200
	pues pudiera tropezar
	con el Príncipe don Carlos.
FELIPE.	(*Irritado.*)
	¡Vive Dios! La lengua ten,
	que el no arrancártela es mengua.
CISNEROS.	¿Qué culpa tiene la lengua 205
	de lo que los ojos ven?
	No son vanas invenciones,
	y aunque la nueva os aflija,
	mi casa, señor, cobija
	sus secretas relaciones. 210
	Hace tres noches que van
	allí, que esto ha decidido
	su Alteza ...
FELIPE.	(*Con ira.*) ¿Y no has resistido?

CISNEROS.   ¿Quién resiste al huracán?
             Son temerarios y grandes   21
             sus proyectos . . .
FELIPE.   (*Con asombro.*) ¡Quién diría! . . .
CISNEROS.   Quiere la soberanía
             de los estados de Flandes.
FELIPE.   ¡Loco está! — ¿Por qué no espera? —
             ¿Á qué arrancar de mis brazos   22(
             su propia hacienda á pedazos
             pudiendo heredarla entera?
             — ¿Quiénes sus cómplices son? —
CISNEROS.   Le ayudan, según infiero,
             los sectarios de Lutero   225
             que buscan su protección.
FELIPE.   (*Con hondo desaliento.*)
             ¿Esto más, Dios soberano?
             — ¿Adónde el rencor le lleva? —
             Tú pones, Señor, á prueba
             al padre, al Rey y al cristiano.   230
             Teme el mundo mis enojos;
             firme y robusta sostengo
             mi autoridad . . . ¡Y no tengo
             adonde volver los ojos!
             Y en mi hogar, en mi hogar mismo   235
             la torva traición me espía.
             ¡Oh triste grandeza mía
             que se pierde en el abismo!
             (*Cubriéndose el rostro con las manos, abru-
             mado por el dolor.*)
CISNEROS.   (*Observándole con profunda alegría.*)
             ¡Llora! . . . ¡El gozo me enajena!
             — ¡Bien, histrión! Hazte aplaudir. —   24(

¿Qué no podrás conseguir
si haces llorar á una hiena?)

FELIPE. ¡Siempre cercado de intrigas!...
¡Mal mi cólera resisto!
Calla; no digas que has visto   245
llorar al Rey. ¡No lo digas!
— ¿Vives solo? —

CISNEROS.   No, señor.
Conmigo vive una hermana
que mi existencia engalana
con su fraternal amor.   250

FELIPE. ¡Feliz tú! ¿Y esa mujer
sabe?...

CISNEROS. Ni el menor indicio.

FELIPE. Pues conviene á mi servicio
que nada llegue á entender.

CISNEROS. Os juro que ignorará   255
lo que pasa...

FELIPE.   Te lo mando.
¿Cuándo irá el Príncipe?

CISNEROS.   ¿Cuándo?
Esta noche...

FELIPE.   Bien está.
Allí iré. ¿Quién con la duda
descansa? Vé prevenido,   260
la faz serena, el oído
atento y la boca muda.
De todo me darás cuenta.

CISNEROS. Aunque mi vida peligre,
todo lo sabréis. (— Ya el tigre   265
despertó. — ¡Venganza, alienta!)

ESCENA VI

FELIPE II, CISNEROS, EL CARDENAL.

CARDENAL. Señor, de llegar acaba
          un correo en este instante,
          que el duque de Alba os envía
          con nuevos pliegos de Flandes.   270
          Dice que la urgencia es mucha,
          y por esta causa...
FELIPE.   (*Tomando los despachos.*)
                              Dadme.
          (*Á Cisneros, señalándole la puerta de la
          izquierda.*)
          Vé y espera en esa estancia
          hasta que avise.
          (*Cisneros se retira inclinándose humilde-
          mente.*)

ESCENA VII

FELIPE II, CARDENAL ESPINOSA.

FELIPE.   ¡Mensaje
          del duque! ¿Qué habrá ocurrido?   275
          (*Leyendo.*)
          «Señor, la mano que armasteis
          »con la espada de la ley,
          »castiga ya inexorable.
          »Los condes de Horn y de Egmont,
          »traidores y desleales,   280

»en un público cadalso
»han derramado su sangre.»
(*Declamando.*)
Lo siento, porque algún día
me sirvieron bien.
(*Leyendo de nuevo.*) «Culpables
»de mantener relaciones   285
»con el príncipe de Orange,
»en la Plaza de Bruselas,
»para escarmiento de audaces,
»fueron ayer degollados.»

CARDENAL. ¡Dios de sus almas se apiade!   290

FELIPE.   (*Sin interrumpir la lectura.*)
Amén. «Entre sus papeles
»que remito, tal vez halle
»Vuestra Majestad algunos
»que le sorprendan y espanten.
»Hay cartas de los rebeldes.   295
»Hailas también, y muy graves,
»del... (*Felipe II contrariado.*)
          ¡Si parece imposible!

CARDENAL. (¿Quién será? ¡Que Dios le ampare!)

FELIPE.   (*Continuando la lectura.*)
»En ellas se manifiesta
»que no es extraño á estos planes   300
»el...

CARDENAL.   (¡Otra vez se detiene!...)

FELIPE.   (*Con amargura.*)
¡Tendré al fin que castigarle!
»Desde principios de enero
»espéranle... (*Con resolución.*)
          Será en balde.

»Y estas locas esperanzas   305
»de los sediciosos hacen
»que á pesar de mis esfuerzos
»el incendio se propague.
»Mas yo templaré su furia,
»pues pondré para atajarle   310
»una hoguera en cada plaza
»y un cadalso en cada calle.
»Será mi rigor severo,
»ya que la piedad no vale;
»y si Flandes se resiste   315
»al debido vasallaje,
»arrasaré sus llanuras,
»abrasaré sus ciudades,
»y pondré un pilar que diga
»al mundo: *¡Aquí existió Flandes!*   320
»Piérdase para la historia
»y para los hombres, antes
»que para su Dios y el Rey.»
(*Declamando.*)
Quien tal hizo que tal pague.

CARDENAL. Señor, sin que yo pretenda   325
detener con mi dictamen
el brazo de la justicia,
pienso que á veces es hábil
castigar con una mano
y halagar con otra . . .

FELIPE.   ¡Es tarde!   330
¡Oh! si solo me agraviaran
á mí, quizás encontrasen
perdón; pero á Dios ofenden,
y no es justo que lo alcancen.

> Me impone el cielo terribles   335
> deberes.   Como el gigante
> que entrevió el profeta, tiene
> este imperio formidable
> la cabeza de oro, el cuerpo
> de plata y los pies de frágil   340
> barro.   Confusión extraña
> de diversas sociedades,
> con diferentes costumbres
> y con distinto lenguaje,
> un solo vínculo enlaza   345
> y liga todas sus partes:
> ¡Dios! ¡la religión! El día
> en que esa ley se quebrante,
> se derrumbará el coloso
> al menor soplo del aire.   350
> No será mientras yo viva.
> Que en este rudo combate
> á que el Señor me condena,
> por deber seré implacable.

CARDENAL. Pero . . .

FELIPE.   Mientras examino   355
> estos papeles, dejadme,
> y llamad de parte mía
> al Príncipe.

CARDENAL.   El cielo os guarde.

ESCENA VIII

FELIPE II.

¡Que tan criminal intento
abrigue! ¡Que así me hiera!...   360
Ocultárselo quisiera
á mi propio pensamiento.
Vergüenza, vergüenza siento,
¡porque al cabo es sangre mía!
¡Vive el cielo! ¿Quién diría   365
que arrastrado por su instinto,
un nieto de Carlos Quinto
su estirpe deshonraría?

ESCENA IX

FELIPE II, *sentado junto al bufete y entregado á sus tristes
reflexiones*, D. CARLOS.

CARLOS.   (*Entrando.*)
             Señor...
             (*Alzando la voz para llamar la atención del
             Rey que no le ha oído.*)
                         ¡Señor!
FELIPE.   (*Reparando en él.*) ¡Ah! llegad.
             Hace días que no os veo.   370
             Me habéis olvidado.
CARLOS.   Creo
             que Vuestra Real Majestad
             en esto no va acertado.

FELIPE   ¿Pues me quejo sin motivo?

CARLOS.   Yo soy, señor, el que vivo   375
            en vuestro reino olvidado.

FELIPE.   Vuestra soberbia os engaña.
            No es cierto.

CARLOS.   (*Con amargura.*)
                            ¡Pluguiera á Dios!

FELIPE.   (*Con intención.*)
            Harto sabéis que de vos
            se acuerdan ... fuera de España.   380

CARLOS.   (*Alterado.*)
            ¿De mí, señor?

FELIPE.   Sed más cuerdo,
            y pensad lo que os conviene.

CARLOS.   (*Reponiéndose y con tono resuelto.*)
            Se acuerdan, porque algo tiene
            la compasión de recuerdo.

FELIPE.   ¡Cómo! ¿Os compadecen?

CARLOS.   Sí.   385

FELIPE.   No temáis que yo lo impida.

CARLOS.   Cuantos conocen mi vida
            tienen lástima de mí.

FELIPE.   (*Reprimiéndose.*)
            ¿Esto más?

CARLOS.   De genio altivo,
            ansiando más luz y espacio,   390
            por cárcel tengo el Palacio
            donde vegeto cautivo.
            Ved si con razón me quejo,
            pues vuestra mano me cierra
            el camino de la guerra   395
            y la entrada en el Consejo.

Y cuando puedo aspirar
á engrandecer nuestra historia,
veo la gloria . . . ¡la gloria
que no me es dado alcanzar!   400
Sumido en ocio infecundo
á vuestra ley me resigno.
¡Ya veis, señor, si soy digno
de la lástima del mundo!

FELIPE.   Duras vuestras quejas son,   405
y es de sentir solamente
que no tenga vuestra mente
los vuelos de su ambición.
¿Ansiáis glorias militares?
Id y conquistad Europa   410
con vuestra aguerrida tropa
de histriones y de juglares.

CARLOS.   (*En un arranque de ira.*)
¡Padre!

FELIPE.   Con esa cuadrilla
que doquier os acompaña,
y que es vergüenza de España   415
y escándalo de la villa.

CARLOS.   ¡No más! . . .

FELIPE.   Decís ¡vive Dios!
que de mi lado os alejo.
¿De qué sirve en el Consejo
un Príncipe como vos,   420
que con ira licenciosa
y fiero rencor insano
persigue, puñal en mano,
al Cardenal Espinosa?

CARLOS.   Debo vengar mis injurias.

425

FELIPE.   Por Dios, que erráis el camino.
              Decidme, ¿sois asesino
              ó sois Príncipe de Asturias?

CARLOS.   (*Fuera de sí.*)
              ¡Padre!

FELIPE.   Ciego de despecho,
              os perturba y arrebata   430
              esa ambición insensata
              que no cabe en vuestro pecho.
              Siempre entregado al azar,
              rebelde siempre al deber,
              ni sabéis obedecer,   435
              ni sois digno de mandar.

CARLOS.   ¡Qué implacable estáis conmigo!

FELIPE.   No con falta de razón.
              Moderad vuestra ambición,
              ó sentiréis el castigo.   440

CARLOS.   (*Arrebatado por la cólera.*)
              Pues bien: haced lo que os cuadre:
              á todo estoy resignado.
              Ya sé que el cielo me ha dado
              un tirano en vez de padre.
              Sobre mí caiga la ley.   445
              No la temo . . .

FELIPE.   (*Con ira reconcentrada, estrechando la mano
      de D. Carlos y obligándole á caer á sus pies.*)
                  ¿Así me humillas,
              desdichado? ¡De rodillas!
              Ya no habla el padre, habla el Rey.
              ¡Quién tanta audacia concibe!
              Pues si yo fuera tirano,   450
              ¿dónde estaría la mano

que estos papeles escribe?
(*Mostrándole las cartas remitidas por el
Duque de Alba.*)
¿Así ensalzas y proteges
la gloria de tus mayores,
amparador de traidores,
patrocinador de herejes?   45
Mira, si puedes, el falso
camino que has emprendido;
mira esas cartas que han sido
cobradas en el cadalso.   460
Si aun permanecen ocuitas
tus sugestiones aleves,
no al monarca se lo debes,
sino al padre á quien insultas.
Mas si con loca osadía   465
persistes en tu maldad,
fiado en la impunidad
que te da la sangre mía,
yo sabré, si no la enfrenas,
verterla, mal que me pese,   470
¡y no la tuya! Aunque fuese
la que corre por mis venas.

CARLOS.   (*Aterrado.*)
           ¡Señor!

FELIPE.   Por última vez
mi voz te avisa y advierte,
y ¡ay de ti, si se convierte
el padre en severo juez!   475

ESCENA X

D. CARLOS, *levantándose lentamente del suelo, entre confuso y airado.*

Mi plan está descubierto
y me hostiga y amenaza...
¡No, no conoce su raza
cuando á sus pies no me ha muerto!   480
¡Yo vivir encadenado!...
¡Si imaginarlo es quimera!
¡Oh! ¡Devolverle quisiera
la ruin vida que me ha dado!

ESCENA XI

D. CARLOS, CISNEROS, *saliendo inquieto y azorado por la izquierda.*

CISNEROS.   (*Aparte.*)
       (Me manda salir... ¡Valor!)   485
CARLOS.   (*Dirigiéndose colérico hacia la puerta del fondo.*)
       Pronto veremos...
       (*Reparando con sorpresa en Cisneros.*)
               ¿Tú aquí?
CISNEROS.   (*Receloso.*)
       (Quizás nos observa...) Sí.
       Vengo á buscaros, señor.
CARLOS.   (*Maravillado.*)
       ¿Y osaste?...

CISNEROS.   No soy cobarde,
y me ha movido la idea
de que Vuestra Alteza vea   490
la comedia de esta tarde.
CARLOS.   ¿Hay función?
CISNEROS.   Pero función
que adquirirá eterna fama.
Es nueva, es mía, y se llama...   495
(*Con tono intencionado.*)
¡Callar hasta la ocasión!
CARLOS.   El título me provoca
á risa...
CISNEROS.   De veras hablo.
CARLOS.   (*Cuya agitación va en aumento hasta la*
            terminación del acto.)
¡Oh! Diríase que el diablo
me aconseja por tu boca.   500
¿Habrá mucho enredo?
CISNEROS.   ¡Mucho!
Hay aventuras muy graves.
CARLOS.   ¿Es eso verdad? ¡No sabes
con cuánto placer te escucho!
CISNEROS.   Hay citas, hay emboscadas...   505
CARLOS.   ¿Nada más que eso, Cisneros?
CISNEROS.   Y empeños de caballeros
y nocturnas cuchilladas.
CARLOS.   ¿Y nada más?
CISNEROS.   Hay en toda
la farsa vivo interés.
CARLOS.   ¿Y cómo acaba?...   510
CISNEROS.   Después
acaba el asunto en boda.

CARLOS.   ¿Y no en muerte?... Pues declaro
           que eres malísimo autor.
           ¡Es mejor, mucho mejor   515
           la fiesta que yo preparo!
           ¡Oh, ya verás, ya verás
           qué algazara y qué alborozo!

CISNEROS. (*Observando la alteración del Príncipe.*)
           ¿Estáis llorando?...

CARLOS.   Es de gozo.
           ¡El gozo de Satanás!   520
           Si se logra mi esperanza,
           habrá en la comedia mía
           tristes ayes de agonía,
           roncos gritos de venganza.

CISNEROS. ¿Qué decís?

CARLOS.   ¡Verás qué enredo!   525
           Habrá lucha, y en la lucha
           mucha sangre, mucha, mucha...
           (*Con risa sardónica.*)
           Já, já, já, já...

CISNEROS.   ¡Me dais miedo!

CARLOS.   ¡Qué peripecias tan grandes!
           ¡Qué escenas tan peregrinas!   530

CISNEROS. (*Asombrado.*)
           ¿En dónde?

CARLOS.   ¿No lo adivinas,
           imbécil?

CISNEROS.   Señor...

CARLOS.   En Flandes.

ACTO SEGUNDO

Morada de Alonso Cisneros, modestamente amueblada. Puerta
en el fondo, y en segundo término otra que se supone ser
la de entrada en la casa. Puertas laterales. Son las pri-
meras horas de la noche.

ESCENA PRIMERA

MÓNICA.

¡Siempre en casa recogida
y siempre llorosa! Todo
parece indicar que oculta
pesares agudos, hondos.   535
¡Pobre Catalina! Á veces
riegan su apacible rostro
lágrimas acusadoras
que se escapan de sus ojos.
¿Por qué se aflige?... Es preciso   540
averiguar... pero ¿cómo?
Si no atiende á mis deseos
ni á mis súplicas tampoco.
Pues yo he de saber...
(*Óyense dos aldabonazos en la puerta de
   entrada. Mónica se detiene sorprendida,
   y vuelven á sonar nuevos y más violen-
   tos golpes.*)
        ¿Quién llama?   545

ÉBOLI.   (*Desde fuera con tono imperioso.*)
              ¡Abrid!

MÓNICA.   La voz desconozco.
              ¿Quién sois?

ÉBOLI.   Abrid, ó derribo
              la puerta.

MÓNICA.   (*Abriendo.*) ¡Jesús, qué tono!

ESCENA II

MÓNICA, FELIPE II y PRÍNCIPE DE ÉBOLI, *embozados en
          largas capas y recatando el rostro.*

              (*Sorprendida.*)
              ¿Qué se ofrece, caballeros?

ÉBOLI.   ¿Vive en esta casa Alonso   550
              Cisneros?

MÓNICA.   Sí. Pero diga
              vuesa merced...

ÉBOLI.   Poco á poco.
              ¿Está en casa?

MÓNICA.   No está en casa.
              ¿Qué queréis?

ÉBOLI.   Pues es forzoso
              que nos ocultes.

MÓNICA.   (*Asustada.*)   ¡Dios santo!   555
              ¿Qué dice usarced?

ÉBOLI.   (*Con imperio.*)   Y pronto.

MÓNICA.   Paréceme, caballero,
              que no es éste el mejor modo
              de pedir...

ÉBOLI.   Señora dueña,

yo no os consulto, dispongo.   56(

MÓNICA.   ¿Y no hay más que entrar así
como almas del purgatorio,
con el sombrero calado
y hasta el sombrero el embozo,
diciendo: — Acá nos metemos?—   565

ÉBOLI.   Por vuestro bien os exhorto
al silencio y la obediencia.

MÓNICA.   ¿De veras? Pues yo respondo
que si no os vais ahora mismo
pediré á voces . . .

FELIPE.   (*Adelantándose.*)   Y si oigo   57c
el menor grito, os arranco
la lengua.

MÓNICA.   (*Sobrecogida.*)

                    ¡Dios poderoso!

FELIPE.   En nombre del Rey venimos.

MÓNICA.   ¡Oh! . . .

FELIPE.   Sus emisarios somos.
Haced, pues, lo que se os manda
ó despertaréis su enojo.   575

MÓNICA.   (*Amedrentada.*)
Señor . . .

FELIPE.   ¿En dónde podremos
ocultarnos?

MÓNICA.   ¡San Antonio
me valga! Yo no sabía . . .
Perdonad.

FELIPE.   Bien: os perdono.   58c
Pero despachad.

MÓNICA.   (*Señalando una de las habitaciones de ia
        derecha.*)

En ese
cuarto, retirado y solo,
podéis estar y enteraros
de cuanto pase . . .

FELIPE.   ¿De todo?

MÓNICA.   Sí, señor. Nadie le habita . . .   585

FELIPE.   Entremos. Oye: si noto
la menor incertidumbre,
si observo el más leve asomo
de traición, si nos engañas
y llego á entender el dolo . . .   590

MÓNICA.   (*Espantada.*)
¡Señor, descuidad!

FELIPE.   Te juro,
y yo no falto á mis votos,
que de un balcón de esta casa
mañana mismo te ahorco.

ESCENA III

MÓNICA *santiguándose, después* CATALINA.

In nomine Patris, Filii   595
et Spíritu . . . ¡Ay, me ahogo!
Ya me parece que tengo
puesto el dogal en los hombros.
Prometo, si Dios me saca
con bien . . .

CATALINA.   (*Entrando en escena.*)
¡Mónica!

MÓNICA.   (*Asustada.*)   ¡Socorro!   600

CATALINA.   (*Sorprendida.*)

¿Qué es eso?

MÓNICA.   ¡Flaquezas mías!
Contóme ayer Fray Ambrosio,
mi confesor, un suceso
tan tremendo y pavoroso,
que el menor ruido me asusta   605
desde entonces...

CATALINA.   (*Sonriendo.*)   ¡Lo conozco!

MÓNICA.   Figúrate que un hereje...

CATALINA.   (*Con vehemencia.*)
¡Calla!

MÓNICA.   Un luterano, un monstruo
sin religión, con mentidas
prácticas y actos devotos,   610
estuvo engañando al mundo
y al Santo Oficio á su antojo.
Pues figúrate que en este
estado pecaminoso,
muere...

CATALINA.   ¡Te he dicho que calles!   615

MÓNICA.   Pero ¡qué espanto! ¡Qué asombro!
No bien espiró, sintióse
en toda la casa sordo
rumor de cadenas, luego
gritos discordes y broncos;   620
después, como removida
por interno terremoto,
la casa vínose abajo,
y entre mil nubes de polvo,
el muerto, dando alaridos,   625
desapareció de pronto
conducido por un diablo

rabilargo y uñicorvo.
Lo cual prueba, según dice
mi confesor, hombre docto,   630
que los herejes no entienden
su interés y son muy tontos,
pues por huir de la quema,
que dura en el mundo un soplo,
prefieren estar ardiendo   635
per sæcula sæculorum.
— Mas ¡por Dios! ¿te pones mala?
¿Lloras?—

CATALINA.   Sí, Mónica, lloro,
y no me preguntes...

MÓNICA.   ¡Vamos!
El caso es tan espantoso   640
que te ha trastornado...

CATALINA.   ¿Quieres
callar?

MÓNICA.   No me dió un soponcio
cuando lo supe... ¡Ay, qué cosas
dicen que dijo el demonio!

CATALINA. (*Esforzándose y variando de conversación.*)
¿Quién ha venido?

MÓNICA. (*Inquieta.*)   ¿Aquí? Nadie.   645
Ya sabes. Hasta las ocho
no podrá volver tu hermano,
y en su ausencia no descorro,
sin conocer al que llama,
ni pestillos ni cerrojos.   650
¡No faltaba más! Pues bueno
anda el mundo... Hay cada robo
de noche...

(*Observando la profunda melancolía de Ca-*
talina.)
                    Pero ¿qué tienes?
Hace tiempo que no logro
ver la sonrisa en tus labios   65:
ni la alegría en tus ojos.
Las rosas de tus mejillas
pierden su color hermoso:
suspiras, y tus suspiros
casi parecen sollozos.   660
¿Qué tienes?

CATALINA.   Nada.
MÓNICA.   No es cierto.
(¡Jesús! que escuchan los otros,
no me acordaba...) Si quieres
callarte... Bien: no me opongo.

CATALINA. Y nunca pretendas, nunca,   665
llegar, Mónica, hasta el fondo
de mi corazón...

MÓNICA.   Lo mandas...

CATALINA. Mi pecho es un calabozo
donde sin luz y sin aire
los recuerdos aprisiono.   670
Dolor que no se confía,
dolor mudo, misterioso,
desesperado es el mío,
implacable como el odio.
Déjame á solas con él,   675
que si en el alma le escondo,
harta desdicha es la mía.

MÓNICA.   Me callo, ya que te enojo.
(*Llaman en la puerta de entrada.*)

	¿Quién es?	
CARLOS.	(*Fuera.*)	Yo soy.
CATALINA.	(*Agitada.*)	Es su Alteza.
	Abre.	
MÓNICA.	(*Con miedo.*)	

        (Mis pies son de plomo.   680
Y esos hombres espiando . . .)

CATALINA. (*Impaciente.*)
    ¿No abrirás?

MÓNICA.   (*Rezando.*)   *Dóminus, dóminus . . .*

ESCENA IV

CATALINA, D. CARLOS, *abatido*, MÓNICA.

CARLOS.   Catalina, Dios te guarde.

CATALINA. Seáis bien venido.

CARLOS.   ¿Alonso
no está?

CATALINA.   No, señor.
(*Reparando en el desaliento del Príncipe.*)
         ¡Dios mío!   685
¿Estáis enfermo?

CARLOS.   (*Excitándose.*)   Estoy loco.
¡Loco, sí!

CATALINA. (*Con interés.*)
       Pues ¿qué os sucede?
No sé . . .

CARLOS.   Triste y sin apoyo,
para irrisión de los hombres
nací en las gradas del trono.   690

CATALINA. ¡Que eso digáis!

MÓNICA. (*Amedrentada.*)　　(¡Desgraciados,
y van á hablar!... No me expongo
á escucharlos... ¡Quiera el cielo
apiadarse de nosotros!)

ESCENA V

CATALINA, D. CARLOS.

CATALINA. Pero ¿qué os pasa?　Agitado　　　　695
estáis...
CARLOS.　　　　　No, desesperado.
Tú no sabes, Catalina,
el odio reconcentrado
que en mi corazón germina.
Por mis venas se derrama:　　　　700
como el fuego comprimido
ocultamente me inflama.
¡Ay, cuando rompa esa llama
y surja!...
CATALINA.　　　　　¡Estaréis perdido!
CARLOS. ¿No es verdad que te amedrenta?　　　705
¡Oh! yo quisiera callar,
pero no puedo.　Revienta
mi furor.　¿Quién puede ahogar
las iras de la tormenta?
Expláyese el alma mía　　　　710
lejos de esa turba impía
que me sigue y acompaña,
que me adula y que me espía,
que se postra y que me engaña.
En este oculto rincón　　　　71:

salgan la voz de mi pecho,
la hiel de mi corazón,
los ayes de mi despecho,
las ansias de mi ambición...
Aquí sólo puedo ser   720
dueño de mí mismo.   Aquí
no necesito esconder
este ardiente frenesí...

CATALINA. Príncipe, ¿qué vais á hacer?
Templad ese vivo encono.   725
Ved quién sois...

CARLOS.   ¡Ay, Catalina!
Nada soy en mi abandono.

CATALINA. Sois heredero de un trono
que sobre el mundo domina.

CARLOS. Más esto me desespera.   730

CATALINA. ¿Por qué, señor?

CARLOS.   Si yo hubiera
en pobre cuna nacido,
con resignación sufriera
la oscuridad y el olvido.
Pero cuando altiva toca   735
en la elevación mi frente
y la ambición me provoca,
¡vivir atado á la roca
de una grandeza impotente!
¡Solo, triste, sin empleo,   740
en mi lastimoso estado,
sentir, nuevo Prometeo,
mi pecho despedazado
por las garras del deseo!
¡Ser tan grande y ser tan poco!   745

¡Morir de sed á la orilla
del agua que miro y toco!...
¡Esto me mata, me humilla,
y temo volverme loco!

CATALINA. Pero mirad...

CARLOS.   En la oscura   750
soledad de mi recinto,
á veces se me figura
que ante mis ojos fulgura
la imagen de Carlos Quinto.
Á su vista me confundo   755
temeroso, y quiero en vano,
en mi respeto profundo,
besar la potente mano
que llegó á abarcar el mundo.
Mi espíritu desfallece,   760
y, como á través de un sueño,
la imagen se eleva y crece,
y á medida que engrandece,
me siento yo más pequeño.
Y la bélica armonía   765
de la militar porfía
en mi corazón resuena,
y mi cerebro se llena
con las glorias de Pavía.
Y mudo, asombrado, yerto   770
al mirar su rostro altivo,
juzgo, de rubor cubierto,
que viene á quejarse muerto
del ocio infame en que vivo.
Estos recuerdos se imprimen   775
tenazmente en mi memoria.

             y me conturban y oprimen . . .

CATALINA.   Cuidad que ese afán de gloria
             no os precipite en el crimen.

CARLOS.   (*Alterado.*)
             ¡El crimen!

CATALINA.   Pobre mujer,   780
             no sé qué impulso secreto
             me lleva á vos sin querer.
             ¡Quizás la voz del respeto,
             quizás la voz del deber!
             No quiero buscar su origen.   785
             Sólo sé que esos sombríos
             dolores consuelo exigen;
             sé tan sólo que me afligen
             como si fueran los míos.

CARLOS.   (*Enternecido.*)
             ¡Eres buena, Catalina!   790

CATALINA.   Sé que es llama abrasadora
             la ambición cuando domina . . .

CARLOS.   (*Con decaimiento.*)
             ¡Es verdad!

CATALINA.   Sé que ilumina;
             mas sé también que devora.
             ¿Qué entiendo yo de la ciencia   795
             del mundo? Pero ¡ay, señor!
             conozco en mi inexperiencia
             que debe estar el valor
             de acuerdo con la prudencia.
             Ya que en vuestras venas arde   800
             la ambición, marchad con tino,
             ni arrojado ni cobarde,
             pues vale más llegar tarde

            que perderse en el camino.
            Agítese cuanto quiera   805
            aquél que en humilde esfera
            y en bajo estado se mueve,
            porque es larga la carrera
            y nuestra vida muy breve.
            Pero vos... ¡vos, cuya mano   810
            está á punto de alcanzar
            el mayor poder humano!...

CARLOS.   Porque le miro cercano
            tengo anhelos de llegar.

CATALINA. Mas ¿á qué correr en pos   815
            de un deseo? ¿No estáis vos
            casi tocando con él?

CARLOS.   No ambicionara Luzbel
            á estar más lejos de Dios.

CATALINA. Pero Vuestra Alteza olvida   820
            que sufrió duro escarmiento
            su soberbia...

CARLOS.   ¡Por mi vida!
            ¿Desde cuándo la caída
            empequeñece el intento?
            Cayó Luzbel: es verdad;   825
            mas tan grande, que Dios mismo,
            para encerrar su maldad,
            produjo otra inmensidad:
            la inmensidad del abismo.

CATALINA. De horror y espanto me llena   830
            vuestra inquietud. Tened calma.

CARLOS.   ¡Ay! ¿Cómo será mi pena
            cuando tu voz no serena
            esta tempestad del alma?

	No sé qué secreto encanto	835

        No sé qué secreto encanto   . 835
        ejerce en mí, que la escucho
        con recogimiento santo.
        ¿Mas cómo vencerme? Lucho
        sin fuerzas. ¡No puedo tanto!

CATALINA. ¡Ah! que me faltan razones,   840
        y no alcanzo á convenceros...

CARLOS.   ¡Ardua empresa te propones!

ESCENA VI

DICHOS, CISNEROS, *lleno de júbilo.*

CISNEROS. (*Entrando.*)
        ¡Vítor, vítor!

CARLOS.   (*Sorprendido.*)   ¿Qué hay, Cisneros?

CISNEROS. ¡Qué aplausos! ¡Qué aclamaciones!
        ¡Qué entusiasmo en las mujeres!   845
        en los hombres ¡qué locura!
        ¡Qué igualdad de pareceres!
        La grandeza y la hermosura,
        clérigos y mercaderes,
        plebeyos y caballeros   850
        gritaban: ¡Vítor, Cisneros!
        Y yo loco de alegría
        aplaudía... ¡Me aplaudía!
        ¡La gloria tiene sus fueros!

CATALINA. ¿Es decir que has conseguido   855
        seguro triunfo?

CISNEROS.   ¡Oh, seguro!
        ¡Qué función habéis perdido!
        ¡De eterna memoria!— Os juro

que resistirá al olvido. —
¿Hay placer más singular   860
que el de ver á una asamblea
dominada á su pesar,
que ni habla, ni pestañea,
ni se atreve á respirar;
que en un solo pensamiento   865
se confunde, que hace un alma
de todas, que á vuestro acento
agitada y sin aliento
ó se alborota ó se calma?
—¡No le hay!— En esa ocasión   870
sujetando el corazón
del público, me agiganto,
y como un rey ¡yo el histrión!
sobre todos me levanto.
Fieramente me apodero   875
de la multitud sumisa:
mando en ella, en ella impero.
Si quiero, excito su risa,
su llanto excito si quiero,
padece ó goza conmigo,   880
y ante el sentimiento igualo
al contrario y al amigo,
al magnate y al mendigo,
al hombre de bien y al malo.
¡Oh, qué placer, qué placer!   885

CARLOS. Y al cabo de la partida
¿qué sacas de ese poder?
—¡Farsa no más!—

CISNEROS.   ¡Qué ha de ser!
¿No es todo farsa en la vida?

Teatro el mundo parece   890
donde el esclavo y el dueño,
el que manda, el que obedece,
el que oprime, el que padece,
el grande como el pequeño,
con más ó ménos ventura,   895
fingen su papel, que dura
sólo el tiempo necesario
para ir desde el escenario
del mundo á la sepultura.

CARLOS. No es cierto que todo acabe   900
cuando el sepulcro se cierra.
— ¿Y la gloria? —

CISNEROS.   ¿Quién no sabe
que la gloria humana cabe
bajo siete pies de tierra?
Pero ¿quién nos mete en esto?   905
Vivamos como es debido,
cada cual en nuestro puesto...

(*Dirigiéndose hacia la puerta de la derecha,
    donde están ocultos Felipe II y el príncipe
    de Éboli.*)

CARLOS. ¿Adónde vas?
CISNEROS.   Vuelvo presto.
(Veré si el Rey ha venido.
(*Entra en la habitación y sale en seguida.*)
No me engañó. — ¡Ya está aquí! —   910
¡Infierno! ¡Vén en mi ayuda!)
(*Prestando atención y aproximándose para
    ocultar su turbación á la puerta de en-
    trada.*)
Pero alguien se acerca... Sí.

Estoy seguro... (*En voz alta y con intención.*)
                  Sin duda
el barón de Montigní.

ESCENA VII

DICHOS, EL BARÓN DE MONTIGNÍ, EL MARQUÉS DE
BERGHÉN.

CISNEROS.   (*Saliendo á abrir la puerta de entrada y mi-
rando por ella.*)
Él es.
(*Viéndoles aparecer.*)
         Entrad.   Dios os guarde,   915
señores...
MONTIGNÍ.   Gracias, Cisneros.
(*Póstranse Berghén y él á los pies de
D. Carlos.*)
¡Príncipe! dadnos la mano
á besar...
CARLOS.   (*Levantándolos.*)
            Alzad del suelo.
MONTIGNÍ. Perdónenos Vuestra Alteza,
si contra nuestro deseo   920
hemos acudido tarde,
que antes lo hubiéramos hecho
á no habérnoslo impedido
justa causa...
CARLOS.   No os comprendo.
MONTIGNÍ. Desde esta misma mañana,   925
con empeño manifiesto,

siguiéndonos han estado
cual sigue la sombra al cuerpo,
varios hombres sospechosos,
y en vano, dando rodeos,   930
hemos querido librarnos
de su peligroso acecho;
hasta que al fin decididos
á no sufrirlo más tiempo,
en la calleja inmediata   935
arremetimos con ellos,
donde callando la lengua
y centellando el acero,
hemos dado á los fantasmas
el merecido escarmiento.   940
Uno, más tenaz que todos
y más que todos resuelto,
echando mano á la espada
quiso defender su puesto.
Mal hizo. ¡Dios le perdone!   945
Pues sin valerle su esfuerzo,
pasado de una estocada
á mis plantas cayó muerto.

CATALINA.   (*Asustada.*)
    ¡Jesús mil veces!

CARLOS.   Señores,
la precaución agradezco,   950
que en empresas atrevidas
es mejor, á lo que entiendo,
pecar por golpe de más
que no por golpe de menos.

MONTIGNÍ. Él ha buscado su muerte.   955
CARLOS.   Descartad ese suceso,

que de otros de más cuantía
noticias que daros tengo.

MONTIGNÍ. Nosotros también.
  (*Hablan en voz baja con grande animación.*)

CISNEROS. (*Á Catalina.*)   Hermana,
déjanos solos . . .

CATALINA.   ¿Qué es esto?   960
Ha dos noches que esos hombres
vienen aquí con misterio,
y cuando tanto temor
tienen de ser descubiertos
y así con sangre pretenden   965
borrar sus huellas, sospecho
que algún propósito abrigan
injusto, y quiero saberlo.

CISNEROS. ¿Qué te importa?

CATALINA. (*Con ardor.*) ¡Vuestra vida
me importa mucho!

CISNEROS.   ¡Silencio!   970
Después sabrás lo que pasa,
pero ahora véte . . .

CATALINA. (*Marchándose.*) (¡Velemos!)

ESCENA VIII

D. CARLOS, CISNEROS, MONTIGNÍ, BERGHÉN.

MONTIGNÍ. (*Aterrado.*)
  ¡Todo descubierto!

CARLOS.   Sí.

MONTIGNÍ. No hay esperanza ninguna;
¿qué hemos de hacer?

CARLOS.	La fortuna	975

se nos vuelve, Montigní.

MONTIGNÍ. Nuestro plan ha fracasado.

BERGHÉN. Es menester desistir,
huir . . .

CARLOS.   ¿Y sabéis huir?
Nunca lo hubiera pensado.   980

MONTIGNÍ. Pero ¿qué hacer? Descubierto
nuestro plan, ¿quién nos responde
del éxito? El noble conde
de Egmont nos decís que ha muerto;
que en poder del soberano   985
vuestras cartas han caído . . .

CARLOS. ¿Qué importa que haya sabido
mis proyectos de antemano?

MONTIGNÍ. Los trastornará.

CARLOS.   Ya es tarde.

MONTIGNÍ. Mas . . .

CARLOS. (Con resolución.)
                    ¡Ni desisto ni cedo!   990
No piense que tengo miedo
y huyo del riesgo cobarde.
Nunca mejor ocasión.
Juzgará el Rey desde luego
que habiendo perdido el juego   995
vacilaré en mi intención:
que el temor . . . ¡no me conoce!
influye en mí.

MONTIGNÍ.   Y ¿qué logramos? . . .

CARLOS. Decidido estoy. Partamos.

MONTIGNÍ. ¿Cuándo?

CARLOS.   Esta noche á las doce.   1000

Demos principio á la lid,
suceda lo que suceda.
Y para que el Rey no pueda
sorprenderos en Madrid,
mientras con maña y secreto 1005
mis preparativos hago,
id y esperadme en Buitrago,
donde estaré, os lo prometo,
antes de rayar el día.

MONTIGNÍ. (*Con decisión.*)
Allí nos verá su Alteza. 1010

CARLOS. Y así está vuestra cabeza
al abrigo de la mía.

BERGHÉN. Perdonad la confusión
que en mí la nueva produjo.
Si entonces cedí al influjo 1015
de torpe alucinación,
hoy con vos, arrepentido,
sabré morir ó vencer.
Pues ¿qué menos puedo hacer
por la patria en que he nacido? 1020
¡Partamos!

MONTIGNÍ. La resistencia
es justa. El Rey nos obliga.
Y hasta que Flandes consiga
la libertad de conciencia,
descanso al hierro no dé; 1025
ya que sordo á nuestro ruego
quiere el Rey á sangre y fuego
que prevalezca su fe.

BERGHÉN. Combátase la herejía
donde levante bandera; 1030

mas no arrojando á la hoguera,
con sangrienta hipocresía,
mujeres y hombres, en pos
de la sospecha más leve,
que quien á tanto se atreve   1035
injuria y maltrata á Dios.

CARLOS. ¡Oh, no será! Si propicio
premia el cielo mis afanes,
yo atajaré los desmanes
y horrores del Santo Oficio;   1040
que en vano del alma quiero
borrar su crüel historia.
Fijo tengo en mi memoria
un recuerdo horrible, fiero.
Aun al través de la edad   1045
me hiere cual dardo agudo.

MONTIGNÍ. ¿Es tan pavoroso?

CARLOS.   Dudo
que otro le iguale. Escuchad.
Estaba yo — ¡era muy niño! —
en esa edad inexperta   1050
en que el corazón despierta
lleno de fe y de cariño.
¡Ay! ajeno á todo ardid,
de mis ilusiones dueño,
era mi existencia un sueño   1055
de gloria en Valladolid.
En mi forzosa orfandad,
sin ningún temor vivía
en esa dulce alegría
que engendra la libertad.   1060
De pronto una nueva extraña

regocijó nuestra tierra.
Súpose que de Inglaterra
el Rey regresaba á España,
y en su respeto profundo   106
no hubo ciudad, ni hubo villa
que no obsequiara en Castilla
al Rey Felipe Segundo.
Entre el público bullicio
y el general alborozo,   1070
también demostró su gozo
el austero Santo Oficio.
Y con majestad, que fué
por el vulgo celebrada,
dispuso para la entrada   1075
del Rey un auto de fe.

CISNEROS.   (*Alterado.*)
            Sí, bien me acuerdo . . .

MONTIGNÍ.   ¡Qué horror!
¿Á quién no asombra y aflige
que el hombre se regocije
con el ajeno dolor?   108c
¿Y la plebe envilecida
goza en esto?

CARLOS.   No os asombre
que aplauda el dolor del hombre
quien á Dios quitó la vida.
¿Quién habrá que no recuerde   10(
aquel día? . . .

CISNEROS.   (*Cada vez más agitado.*)
                            ¡Fué tremendo!
¡infausto!

CARLOS.   Marchaba, abriendo

paso á todos, la cruz verde.
Y entre el inmenso turbión
de las olas populares,   1090
seguían los familiares
de la Santa Inquisición.
Allí, luciendo su porte
bizarro, graves y austeros,
marchaban los caballeros   1095
más ilustres de la corte,
y detrás, de dos en dos,
los frailes en larga fila,
con voz solemne y tranquila
pidiendo clemencia á Dios ...   1100

MONTIGNÍ. (*Irritado.*)

¿Y no á los hombres? ¡Crüel
sarcasmo!

CARLOS.   Desde un estrado
en la Plaza levantado
bajo ostentoso dosel,
cercados de hombres de pro,   1105
con faz alegre y serena
presenciábamos la escena
que digo, mi padre y yo.
Ví indiferente cruzar
prelados, inquisidores,   1110
grandes, títulos, doctores
y ministros del altar.
Mas cuando escuché los gritos
de horror, y mal ordenados
ví pasar los sentenciados   1115
con velas y sambenitos,
y miré entre aquellos seres,

á los fúnebres reflejos
de la luz, niños y viejos,
¡hasta débiles mujeres!   1120
y observé su agitación,
y ví su faz descompuesta,
¡tuve miedo de la fiesta
que daba la Inquisición!

CISNEROS. ¡Ay! Yo también presenciaba   1125
el cuadro siniestro, impío.

CARLOS.   Mi padre, impasible y frío,
con trémula voz rezaba.
Apiñábase la gente
gozosa. — De pronto, veo   1130
que ante el Rey se para un reo
y alza la lívida frente . . .

CISNEROS. (*Hondamente agitado.*)
¡Don Carlos de Sesa! . . .

CARLOS.   ¡Sí!
¡Él era! Ante tanto duelo
cubrió mis ojos un velo   1135
de sangre. ¡Miré y no ví!

CISNEROS. (*Con desesperación.*)
¡Qué día! . . .

CARLOS.   Vagos temores
me hirieron, y con pavor
le oí: — ¡Buen premio, señor,
dais á vuestros servidores! —   1140
— Si como vos mi hijo fuera —
dijo el Rey — no dudaría:
el haz de leña echaría,
para quemarle, á la hoguera. —

CISNEROS. (*Cada vez más conmovido.*) ¡Eso dijo!

ESCENA IX

DICHOS, CATALINA, *que oye el diálogo, presa de la más violenta agitación, sin poder apenas reprimir sus sollozos, va acercándose lentamente como atraída por el interés de la narración.*

CARLOS.   Siguió aquel   1145
     desgraciado su camino,
     y yo, trémulo, sin tino,
     con la vista fija en él.
     Cubierto de vilipendio
     llegó al brasero . . .

CISNEROS. (*Enternecido y á la vez airado.*)
          ¡Y le ató   1150
     el verdugo! . . .

CARLOS.   Y estalló
     la llama . . .

CISNEROS.   ¡Y creció el incendio!

CARLOS. Entonces, con ansia viva,
     entre horribles crispaduras,
     rompiendo sus ligaduras   1155
     trepó el de Sesa hasta arriba.
     Cerré los ojos, y cuando
     volví á abrirlos, temblé, viendo
     que la llama iba subiendo
     y el humo le estaba ahogando.   1160

CISNEROS. Y encaramado en la punta
     del palo, con la mirada
     incierta, desencajada
     la faz, la color difunta,

	se agitaba y retorcía	116,
	por la llama perseguido . . .	
CARLOS.	Hasta que, al cabo, vencido	
	en tal estéril porfía,	
	torvo, erizada la greña,	
	desatalentado y ciego,	1170
	precipitóse en el fuego	
	gritando: — ¡Allá va más leña!—	
CATALINA.	(*Rompiendo en sollozos y dejándose caer des-*	
	fallecida en un sitial.)	
	¡Ay!	
CISNEROS.	(*Corriendo hacia ella y con tono amenazador.*)	
	¿Qué has hecho?	
CARLOS.	(*Sorprendido.*) ¡Catalina!	
	(*Catalina quiere hablar y Cisneros se lo im-*	
	pide.)	
CISNEROS.	¡Cállate!	
CATALINA.	(*Afligida.*) ¡Si apenas puedo!	
CARLOS.	¿Qué pasa?	
CISNEROS.	¡Que tiene miedo! . . .	1175
	¡Hay cosa más peregrina!	
	Hízola mella, á mi ver,	
	esa historia lastimosa.	
	Perdonadla. ¡Fué curiosa!	
	Siempre es Eva la mujer.	1180
	Pecó de celo indiscreto:	
	mas no volverá á pasar.	
	(Por poco dejo escapar	
	del corazón mi secreto,	
	y allí el Rey . . . ¡Qué torpe he sido!)	1185
CATALINA.	(*Avergonzada y llorosa.*)	
	¡Perdonad! . . .	

CARLOS.   (*Con dulzura.*)   Calma tu pena,
y esta dolorosa escena
demos todos al olvido.
— Adiós. — Proyectos más grandes
me llaman . . .
CATALINA. (*Con terror.*)   ¡Ved lo que hacéi '
CARLOS.   (*Á Montigní y Berghén.*)
Caballeros, ya sabéis:
en Buitrago . . .
(*Salen Montigní, Berghén y D. Carlos, ha-
blando en voz baja.*)

ESCENA X

CISNEROS, CATALINA, *desconsolada.*

CATALINA.   ¡Y luego en Flandes!   1190
¡En Flandes! Su perdición
es cierta . . .
CISNEROS. (*Inquieto.*)   Si has escuchado,
calla . . .
CATALINA.   Habéis despedazado   1195
sin piedad mi corazón.
¡Oh, nunca, nunca recuerdes
esa historia ó lograrás
matarme! . . .
CISNEROS. (*Impaciente.*)   ¡No callarás!
CATALINA. (*Llorando.*)
¡Ay de mí!
CISNEROS. (*Viendo salir al Rey.*) Ve que me pierdes. 1200

ESCENA XI

DICHOS, FELIPE II, PRÍNCIPE DE ÉBOLI.

CATALINA. (*Asustada.*)
　　　　　¿Quiénes son ésos?...
CISNEROS. (*Humildemente.*)　　Señor...
FELIPE. (*Al príncipe de Éboli.*)
　　　　　¡Pronto! Salgamos de aquí.
　　　　　No han de escapar Montigní
　　　　　ni Berghén de mi rigor.
　　　　　No quedó lejos la ronda.
　　　　　—¡Tarde llegué á conocerlos!—　　　　1205
　　　　　Daré esta noche con ellos
　　　　　aunque el diablo los esconda.
ÉBOLI.　　Y en una prisión oscura
　　　　　lloren...
FELIPE.　　(*Moviendo la cabeza.*)
　　　　　　　　¡Pueden darme guerra!　　　　1210
　　　　　Cuatro paladas de tierra
　　　　　son la cárcel más segura.
　　　　　¡Me han herido en lo profundo
　　　　　del corazón! ¡Los sentencio
　　　　　á muerte!...
ÉBOLI.　　　　　Señor...
FELIPE.　　　　　　　　¡Silencio!　　　　1215
　　　　　Ya no caben en el mundo.

ESCENA XII

CISNEROS, CATALINA.

CISNEROS. (*Lleno de júbilo.*)
¡Bien, muy bien!—¿No has conocido
á ese hombre?—

CATALINA.   No, y me da espanto.

CISNEROS. ¡Es el Rey!...

CATALINA. (*Aterrada.*) ¡El Rey!... ¡Dios santo!
El Príncipe está perdido.   1220
Oh, corre á avisarle...

CISNEROS. (*Con acento desdeñoso.*)   ¿Yo?

CATALINA. Le amenaza un fin siniestro.
¡Vuela! No tardes...

CISNEROS. (*Con amargura.*)   Á nuestro
padre nadie le avisó.
Nadie á don Carlos de Sesa   1225
dió amparo...

CATALINA. (*Fuera de sí.*) Pero ¿y la ley
que debes?...

CISNEROS. (*Resueltamente y con aire sombrío.*)
                    Quiero que el Rey
cumpla su impía promesa.

CATALINA. ¡Oh, ten piedad!

CISNEROS.   No soy hombre
que dé su ofensa al olvido.   1230
Recuerda que hemos perdido
patria, hogar, familia y nombre.

CATALINA. Al Príncipe no le alcanza
la culpa...

CISNEROS.   ¿Te compadeces?
     ¡Necia! gozar no mereces   1235
     del placer de la venganza.
     No cederé si se empeña
     el cielo. Soy testarudo
     como el Rey...
CATALINA. (*Fuera de sí.*) ¿Qué hacer?
CISNEROS.   Le ayudo
     á llevar el haz de leña.   1240

ACTO TERCERO

Dormitorio del Príncipe D. Carlos. Muebles de la época. Lecho
   oculto entre amplias y ricas colgaduras. Puerta grande en
   el fondo que comunica con la antecámara, grande y espa-
   ciosa. Dos puertas laterales. Es de noche.

ESCENA PRIMERA

EL CONDE DE LERMA y D. RODRIGO DE MENDOZA, *gen-*
   tiles-hombres del Príncipe, CISNEROS *apartado*
   y como dormitando.

MENDOZA. Tarda su Alteza . . .
LERMA.   ¿Quién sabe
      dónde andará? . . .
MENDOZA.   Apuesto doble
      contra sencillo, á que pierde
      en aventuras la noche.
      Cuando no ha vuelto á Palacio . . .   1245
LERMA. Es posible. Pero ¿en dónde
      y con quién? Sabéis que sólo
      con ese bribón las corre,
      (*Señalando á Cisneros.*)
      y Cisneros hace rato
      que le espera . . .
MENDOZA.   Mudo, inmóvil,   1250
      dormido . . .

LERMA.	Me dan impulsos
	de emprender con él á golpes.
MENDOZA.	¿De veras? Pues es deseo
	que también me reconcome.
	Desde que el Príncipe trata	1255
	con él, es todo desorden
	y confusión. No parece
	sino que el seso le sorbe.
LERMA.	Escuchad. — Estamos solos. —
	Nadie nos ve, y pues el gozque	1260
	se mete entre los lebreles,
	¿queréis que pague su escote?
	Unos cuantos cintarazos
	le vendrán como de molde.
	¿Qué decís?
MENDOZA.	¡Que es brava idea!	1265
	No nos detengamos.
LERMA.	(*Llamando á Cisneros.*) Oye,
	bergante . . .
CISNEROS.	(*Despertándose.*)
	¿Es á mí?
LERMA.	¿Lo dudas?
CISNEROS.	(*Reprimiéndose.*)
	Sí tal: no es ése mi nombre.
LERMA.	Pero es tu oficio . . .
CISNEROS.	(Estos mozos
	llevan malas intenciones.	1270
	Vamos con tiento.) ¿Qué quieren
	vueseñorías?
MENDOZA.	Que tomes
	la puerta, y mañana mismo
	dejes por siempre la corte.

CISNEROS.	(*Tranquilamente.*)
	¿Lo manda el Rey?
LERMA.	No.
CISNEROS.	¿Su Alteza? 1275
LERMA.	Tampoco.
CISNEROS.	¿Quién manda entonces?
LERMA.	Quien puede.
CISNEROS.	(*Con desdén arrellanándose en el sitial.*)
	No me persuade
	la razón.
LERMA.	¿No? Pues disponte
	á llevar, pese á quien pese,
	más palos que un galeote. 1280
CISNEROS.	(*Con calma.*)
	¿Y quién va á dármelos?
MENDOZA.	Yo.
LERMA.	Yo también. No más histriones
	que los alcázares regios
	con su presencia deshonren.
MENDOZA.	¡Fuera bellacos!
CISNEROS.	(*Levantándose irritado.*)
	¡Por Cristo! 1285
LERMA.	¿Qué? ¿Te rebelas?
CISNEROS.	(*Recobrando su sangre fría y sentándose de nuevo.*)
	Señores,
	tengamos en paz la fiesta.
LERMA.	Pues escúchame y escoge.
	Ó pones tierra por medio,
	y con tal arte la pones 1290
	que no se sepa siquiera
	el lugar en que te escondes,

ó por Jesucristo vivo,
que si te niegas indócil,
he de forrar con tu cuero   1295
los asientos de mi coche.
¿Qué decides?

CISNEROS. (*Sin cambiar de postura.*)
                        Bastarían
esas corteses razones
para que yo me quedara,
á pesar de todo el orbe.   1300

MENDOZA. ¿Eso dices?

CISNEROS.   Eso digo.

MENDOZA. ¡Eh! no más contemplaciones.

CISNEROS. Si tenéis prisa, salgamos,
que con dos y hasta con doce
como vosotros me atrevo.   1305

LERMA. (*Con ironía.*)
¡Cuidado! No te alborotes.
¿Pensará este mal nacido,
porque goza altos favores,
que puede medir sus armas
de igual á igual con los nobles?   1310

CISNEROS. (*Alterado.*)
¡Oh!

LERMA.   ¿No sabes que tu oficio
bajo y ruin, infame y torpe,
como á leproso te aparta
del trato humano? Responde.

CISNEROS. ¡No me humilléis!...

LERMA.   ¡Es difícil   1315
empresa! No te conoces.
No alcanzarás en tu vida

          la estimación de los hombres;
          te negarán, cuando mueras,
          sus preces el sacerdote,   1320
          la religión, sepultura . . .

CISNEROS. Pero no sus resplandores
          la fama.

MENDOZA.   ¡Triste consuelo!

CISNEROS. Que no tendréis, aunque agobien
          vuestros huesos olvidados,   1325
          mármoles, jaspes y bronces.

LERMA. ¡Acabemos! ¿Has creído
          tener por competidores
          á dos caballeros?

CISNEROS. (*Con burlona humildad.*)
                    Ruego
          á usía que me perdone . . .   1330

LERMA. No tengo á manos la cincha
          de un rocín, que nadie monte
          ya, por inútil y viejo,
          para derrengarte á azotes;
          pero, en cambio, con el pomo   1335
          de mi espada, aunque te honre,
          he de molerte los huesos,
          histrión!

CISNEROS. (*Con fría resolución empuñando la daga;*
          pero sin desenvainarla.)
          ¡Ay del que me toque!

MENDOZA. (*Asombrado.*)
          ¡En Palacio! . . .

CISNEROS.   ¡Qué en Palacio!
          En la iglesia, si hay quien ose   1340
          ponerme la mano encima . . .

LERMA.   (*Avanzando hacia él.*)
              ¿Y esto toleramos?...

ESCENA II

DICHOS, *un* UJIER *que se interpone entre Lerma y Cis-*
   neros cuando aquél se prepara á castigarle.

UJIER.   (*Entregándole un pliego.*)
                              Orden
              del Rey... (*Se retira.*)
CISNEROS.   (*Guardando disimuladamente la daga que*
              ha desenvainado para defenderse.)
                    (¡Á buen tiempo llega!)
LERMA.   (*Leyendo el sobrescrito.*)
              «Señores gentiles-hombres
              de la Cámara del Príncipe.»   1345
              ¿Qué es esto?
MENDOZA.   (*Impaciente.*) Romped el sobre.
LERMA.   (*Leyendo el pliego en un extremo del salón,*
              desde donde Cisneros no pueda oírlo.)
              «Tendréis abierta la entrada
              »de la Cámara esta noche,
              »y suceda lo que quiera,
              »ni os resistáis ni deis voces.   1350
              »Conviene al servicio mío
              »que nadie en Palacio ronde,
              »sin que se entienda que en esto
              »hay mandatos superiores.
              »Preparadlo de manera   1355
              »que no se comprenda y note
              »quién lo ha dispuesto. — *Yo el Rey.*—»

¡Extrañas resoluciones!

MENDOZA.   Nuestro deber es cumplirlas.

LERMA.   Mas ¿no queréis que me asombre?   1360

CISNEROS. (*Observándolos con curiosidad.*)
(¿Qué pasará?)

MENDOZA.   No consiente
el caso más dilaciones,
y ejecutar es forzoso
cuanto ordena...

LERMA.   Vamos. (*Á Cisneros.*) Doite
de plazo hasta el nuevo día   1365
para que el campo abandones.
Hoy te libras por milagro
de mis manos; pero conste
que si mañana te encuentro...

CISNEROS. (*Con resolución.*)
¡Me hallaréis!

LERMA.   Quizás lo llores.   1370

ESCENA III

CISNEROS, *dejándose caer abatido en un sillón y cubrién-*
dose el rostro con las manos.

¡Desgraciado, desgraciado
de mí! Cuando considero
que he nacido caballero
ilustre, rico y honrado,
y me miro en este estado   1375
tan lejos de lo que fuí,
y mido en mi frenesí
todo el fondo del abismo,

¡oh! me horrorizo yo mismo
del odio que hierve en mí.   1380
¡Odio!... Mas ¿por qué lo siento?
¡Imbécil! Mirar debía
con inefable alegría
mi propio envilecimiento.
Él me da vigor y aliento   1385
para que vengarme pueda.
¡Rueda, desdichado, rueda,
al precipicio! ¡Ahoga en cieno
todo instinto hidalgo y bueno,
si alguno en tu pecho queda!   1390
¡No tengas clemencia, no!
Sigue tu camino...— Ah, tente.—
El Príncipe es inocente...
—¡Pero también lo soy yo!—
No es culpado, no pecó...   1395
—¡Yo tampoco!— Necesito
apagar el hondo grito
de mi conciencia, y no puedo...
— Mas si yo la pena heredo,
¡claro! él hereda el delito. —   1400
Mi vano escrúpulo cesa:
él representa en el mundo
al Rey Felipe Segundo
y yo á don Carlos de Sesa.
¡Hijo por padre! La empresa   1405
es ardua, mas no desmayo.
(*Con profunda melancolía.*)
¡Esta comedia que ensayo
me desgarra el corazón! (*Vacilando.*)
Y es que al cabo...

(*Como queriendo alejar de su pensamiento
las sombrías ideas que le asaltan.*)
                    ¡Maldición!
¿Por qué no me mata un rayo?   1410

ESCENA IV

CISNEROS, *sentado y ocultando su cara con las
manos.* D. CARLOS.

CARLOS.   (*Acercándose y tocando á Cisneros en el
              hombro.*)
            ¡Cisneros!
CISNEROS.   (*Alzando la cabeza.*)
                    ¿Señor?
CARLOS.   ¿Dormías
            por ventura?
CISNEROS.   Me rendí
            cansado al sueño . . .
CARLOS.   ¿Y así
            cumples las órdenes mías?
            ¿De esta manera me apoyas?   1415
CISNEROS.   Perdonad: todo está listo.
CARLOS.   (*Con alegría.*)
            ¡Esto es decirme que has visto
            á Osorio mi guardajoyas!
CISNEROS.   Sí, señor . . .
CARLOS.   Merece albricias
            tu diligencia. Contento   1420
            estoy . . .
CISNEROS.   Yo no, porque siento
            daros muy malas noticias.

CARLOS.   (*Inquieto.*)
             ¿Qué dices? ¿Qué ha sucedido?

CISNEROS.   ¡Mala estrella os acompaña,
             señor! Los grandes de España,   1425
             cuyo amparo habéis pedido,
             con estudiado respeto
             se excusan . . .

CARLOS.   (*Con abatimiento.*)
                             ¡Oh suerte mía!
             ¡Suerte crüel!

CISNEROS.   Juraría
             que han sospechado el objeto.   1430

CARLOS.   (*Irritado.*)
             ¡No lo creas! Son avaros.

CISNEROS.   Con crecidos intereses
             sólo algunos genoveses
             se han atrevido á prestaros . . .

CARLOS.   (*Animándose.*)
             Pero ¿hay dinero? . . .

CISNEROS.   Del modo   1435
             que os digo.

CARLOS.   ¡El alma me has vuelto!
             Ya sabes que estoy resuelto,
             resuelto á intentarlo todo.
             ¡Aunque pidan la mitad
             del reino, apruebo el contrato!   1440
             ¿No comprendes que rescato
             mi vida, mi libertad?
             Salga yo del calabozo
             donde mi alma se enmohece,
             y en Flandes ya . . . ¡Oh, me parece   1445
             que va á asesinarme el gozo!

CISNEROS.	¿Estáis decidido?
CARLOS.	Sí.
CISNEROS.	¿No desistiréis?
CARLOS.	¡Me enfada la pregunta!
CISNEROS.	Es arriesgada la empresa ...
CARLOS.	¡Es digna de mí!

CISNEROS. Engañan en ocasiones
tan altivos pensamientos.

CARLOS. Para los grandes intentos
son los grandes corazones.

CISNEROS. Miradlo bien ...

CARLOS. (*Gozosamente.*) ¡Qué aturdido   1455
mi padre se va á quedar
cuando sepa, al despertar,
que el pájaro huyó del nido!
¡Será divertido paso! ...
¡Qué lances! ¡Qué alternativas!   1460
— Quiero que en Flandes escribas
una comedia del caso.
Represéntale mohíno
y espantado de la treta.
Porque la burla es completa.   1465
¿No te parece? ... —

CISNEROS. (*Con amargura.*)   (¡Es su sino!)
Sí tal.

CARLOS. ¡He estado con él!

CISNEROS. ¿Con el Rey habéis hablado?
¿Dónde?

CARLOS. En la fiesta que ha dado
la Reina doña Isabel.   1470

1450

Pensé y me dije: — Es forzoso
ir allá.　Si yo faltara,
posible es que sospechara
el Rey, siempre receloso. —
Fuí, pues, al regio aposento:　　　　　　1475
allí estaba, á él me acerqué,
que me vió llegar, no sé
si sorprendido ó contento.
Sé que, avanzando hacia mí,
con blando acento me dijo:　　　　　　1480
— ¿Quizás me buscabais, hijo?
Sí, señor, le respondí.
— ¿Tenéis algunos secretos
que contarme? — Y yo, con dolo,
contesté: — Vengo tan sólo　　　　　　1485
á ofreceros mis respetos. —
Siguió la conversación,
y con mil frases compuestas
hícele vagas protestas
de cariño y sumisión.　　　　　　1490
No fueron mal escuchadas.

CISNEROS.　Pero vos...

CARLOS.　　　　　　¡Ay! yo sentía
algo que en mí se reía
con siniestras carcajadas.
Despidióse á poco rato,　　　　　　1495
y dijo, templando el ceño:
— Dios os dé tranquilo sueño.
¡Dormid bien! — ¡Sí, de eso trato!
Cumplir sus órdenes quiero.
Á su voz me dormiré.　　　　　　1500
Sólo que despertaré

en Flandes, terrible y fiero.
¡Con qué lentitud la aguja
marca los instantes!... ¡Oh,
qué impaciencia!...

CISNEROS. (*Contestando á sus propias ideas.*)
                (No soy yo: 1505
¡el hado fatal le empuja!)

CARLOS. ¡Á nueva vida despierta
mi ser! Siento que se enciende...

ESCENA V

DICHOS, CONDE DE LERMA.

LERMA. Señor, hablaros pretende
una mujer encubierta.   1510

CARLOS. (*Sorprendido.*)
¿Y quién es esa tapada?...

LERMA. No puedo deciros tanto.
Parece, á través del manto,
llorosa y acongojada.
—Id—me ha dicho—id con presteza;   1515
avisadle por favor,
ved que en esto va el honor
y la vida de su Alteza. —

CARLOS. ¿Eso dijo? ¡Singular
aventura!...

LERMA   Y yo, temiendo   1520
algo grave...

CARLOS.   No lo entiendo.

CISNEROS. (*Receloso.*) (¿Qué hay aquí?)

CARLOS.   Dejadla entrar.

ESCENA VI

D. CARLOS, CISNEROS.

CARLOS.
¿Has oído? Esa mujer
sabe...
(*Con ira.*) ¡Luego alguien me vende!

CISNEROS.
Mucho el caso me sorprende   1525
y apurarlo es menester.

CARLOS.
Será alguna deslealtad.
¡De fijo!

CISNEROS.
(*Reflexionando.*)
            No sé qué os diga.
Bien puede ser una intriga
para inquirir la verdad.   1530
¡Dama encubierta á estas horas!...

CARLOS.
En mil dudas me confundo.

CISNEROS.
Pues recordad que en el mundo
hay sirenas tentadoras.

CARLOS.
¿Temes?...

CISNEROS.
            No hay hombre discreto   1535
ante una ardiente pupila.
Sansón entregó á Dalila
su vida con su secreto.

CARLOS.
(*Alterado.*)
¡Por Cristo! si esto es así,
que á esa mujer daré muerte.   1540

CISNEROS.
(*Meditando.*)
(¿Quién del peligro le advierte?
Pensemos...)

ESCENA VII

DICHOS, CATALINA, *con manto.*

CATALINA. (*Deteniéndose con indefinible angustia en el
          umbral de la puerta al ver á su hermano.*)

                    (¡Mi hermano aquí!)

CARLOS.   (*Ásperamente.*)
          Ya estáis, señora, servida.
          ¿Qué queréis?

CATALINA. (*Atribulada.*) (¡Sálveme Dios!)

CARLOS.   ¿Qué secretos sabéis vos   1545
          que en riesgo ponen mi vida?
          ¡Hablad, os digo!
          (*Impacientándose ante el obstinado silencio
          de Catalina.*)
                    ¿Estáis muda?
          Ved que mi cólera estalla.

CATALINA. (*Sollozando.*)
          (¡Ay de mí!)

CISNEROS.   (Solloza y calla ...
          Si el Rey acaso ... ¡No hay duda! ...)   1550

CARLOS.   (*Más alterado.*)
          ¿Pretendéis volverme loco?

CISNEROS. (*Respondiendo á sus sospechas.*)
          (Le ataja en sus extravíos.)

CARLOS.   (*Á Catalina.*)
          Ya que no habláis, descubríos.

CATALINA. (*Desfalleciendo.*)
          (¡Estoy perdida!)

CARLOS.   ¿Tampoco?
                    Pues juro que os he de ver,   1555
                    y que con mi propia mano...
                    (*Acércase violentamente á Catalina con áni-*
                    mo de arrancarla el manto.)
CATALINA.   (*Dícele rápidamente en voz baja.*)
                    ¡Mirad que observa mi hermano!
CARLOS.   (*Reconociéndola.*)
                    ¡Ah!
CATALINA.   (*Suplicando.*)
                            ¡Por piedad!
CARLOS.   (*Apartándose.*)   ¿Qué iba á hacer?
                    ¡Sólo el intento me infama!
                    Poca hidalguía demuestra   1560
                    quien pone osado la diestra
                    en el rostro de una dama.
                    (*Á Cisneros.*)
                    — Déjanos. —
CISNEROS.   Os aconsejo
                    que si á preguntar se mete...
CARLOS.   Quiere hablarme á solas.   Véte   1565
                    y vuelve pronto.
CISNEROS.   (*Con desconfianza.*)   Ya os dejo.

                    ESCENA VIII

                    D. CARLOS, CATALINA.

CATALINA.   (*Dejándose caer en un sillón, deshecha en lá-*
                    grimas y descubriéndose.)
                    ¡Dios mío!
CARLOS.   (*Calmándola.*)   Segura estás.

	Mis arrebatos perdona.	
CATALINA.	¡Ay! el valor me abandona.	
	¡No puedo, no puedo más!	1570
	Invádeme mortal frío.	
CARLOS.	Pero ¿qué causa te inquieta?...	
CATALINA.	¿Por qué la fuerza secreta	
	que dirige mi albedrío,	
	impulsándome á cruzar	1575
	entre mortales porfías,	
	por calles, menos sombrías	
	que mi angustia y mi pesar,	
	¿por qué me falta? ¡ay de mí!	
	Explicármelo no puedo.	1580
	Sólo sé que tengo miedo,	
	miedo de encontrarme aquí.	
CARLOS.	¡Vamos! Enjuga tu llanto.	
	Ese temor que te oprime	
	desecha...	
CATALINA.	No acierto...	
CARLOS.	Y dime	1585
	la razón de tu quebranto.	
	Muy grande debe de ser	
	cuando te arroja á este extremo.	
CATALINA.	(*Pasándose las manos por la frente.*)	
	Y ya me olvidaba... ¡Temo	
	que el juicio voy á perder!	1590
CARLOS.	El tiempo apremia...	
CATALINA.	(*Desolada.*) ¡Ah, señor,	
	aun no lo sabéis bastante!	
	Ved al Rey, vedle al instante;	
	confesadle vuestro error.	
CARLOS.	¿Juzgáis que soy tan cobarde?	1595

CATALINA.   Será mortal el retraso.
            Id, no os detengáis. ¡Acaso
            mañana llegaréis tarde!
            Os lo suplico . . .
CARLOS.   (*Sorprendido y aterrado.*)
                            ¿Qué es esto?
            Algo de extraño y de horrible   1600
            sabes. ¡Habla!
CATALINA.   ¡Es imposible!
CARLOS.   ¡Habla, mujer, habla presto!
            ¿Á qué conduce ocultar
            la verdad? — ¿Lloras? ¿No quieres? —
            ¡Vive Cristo! estas mujeres   1605
            no saben más que llorar.
            Alguno me hace traición:
            alguno faltó al sigilo
            de mi empresa . . . ¡Dilo, dilo,
            y no tendré compasión!   1610
            ¿Quién es? ¿Dudas? ¿Te estremeces?
CATALINA.   (*Agitada.*)
            ¡Ay!
CARLOS.   Disimulas en vano.
            Te has descubierto. ¡Es tu hermano,
            tu hermano! . . .
CATALINA.   (*Espantada.*) ¡Jesús mil veces!
CARLOS.   Él mi proyecto vendió   1615
            con infame alevosía.
CATALINA.   (*Con ardor.*)
            Pues si eso fuera, ¿vendría
            á descubríroslo yo?
CARLOS.   ¡Con mis sospechas batallo!
CATALINA.   (Si revelo mi secreto,   1620

á mi hermano comprometo,
y al Príncipe si lo callo.
¿Hay mujer más desdichada?)

CARLOS.   No ocultes mis desventuras...

CATALINA.   ¡Si nada sé!

CARLOS.   ¿Me lo juras?   1625

CATALINA.   Os digo que no sé nada.

CARLOS.   Entonces ¿cómo se explica
tu angustiosa incertidumbre,
y esa mortal pesadumbre
que te abruma y mortifica?   1630
Ni ¿qué pretexto ú excusa
podrán encontrar ahora
esta venida á deshora,
este llanto que te acusa?
¿Con qué míseras patrañas   1635
vienes á anunciar mi ruina?

CATALINA.   (*Confusa.*)
Yo...

CARLOS.   Me engañas. Catalina,
me engañas...

CATALINA.   ¡Señor!

CARLOS.   ¡Me engañas!

CATALINA.   (¿Qué hacer en trance tan fuerte?)
¡Ay! os digo lo que siento,   1640
y si sospecháis que miento,
dadme por favor la muerte.
El alma me dice á voces
que vais mal, que estáis perdido.
¡Si supierais! He tenido   1645
presentimientos atroces.
Os he visto en lucha interna

llorar solitario y preso,
abrumado bajo el peso
de la maldición paterna,   1650
y en lo oscuro porvenir
han visto las penas mías
dolorosas agonías,
¡y me he sentido morir!
Y vengo á veros...

CARLOS.   No llores.   1655
Ni me juzgues tan pequeño
que desista de mi empeño
por mujeriles temores.
Desde el día en que te ví,
— ¡bendígale Dios mil veces!—   1660
tal crédito me mereces
que antes dudara de mí.
Dime si sólo el deseo
de salvarme te ha movido
á venir aquí.

CATALINA. (*Con ansiedad.*) ¡Eso ha sido,   1665
señor!...

CARLOS.   Dímelo y te creo.
Que no hay razón que despierte
tus terrores, que son vanos...
Pero mira que en tus manos
tienes mi vida ó mi muerte.   1670
— Dime la verdad. —

CATALINA. (*Incierta.*)   (¿Qué hacer?)
¡Queréis que me vuelva loca!
¡Creedme! No se equivoca
mi corazón de mujer.
Me lo dicen sus latidos,   1675

que de zozobra me llenan;
¡que dentro de mí resuenan
como angustiosos gemidos!

CARLOS.   Pero ¿es temor, nada más?

CATALINA.   ¿No veis que de espanto muero?   168o

CARLOS.   Pues no desisto: ni quiero
ni puedo volverme atrás.
Hombre soy, espada ciño
y mi palabra empeñé.
Pero nunca olvidaré   1685
tu adhesión y tu cariño.

CATALINA.   (*Desesperada.*)
¡Ay! señor . . .

CARLOS.   Nada me adviertas.
— En ti la fe se acrisola. —
Vuelve á tu hogar . . . mas no sola
por esas calles desiertas.   1690
Juan Iniesta, mi criado,
podrá servirte de guía.
(*Enternecido.*)
— ¡Pobre Catalina mía,
qué sustos habrás pasado! —

CATALINA.   ¡Señor, mirad lo que hacéis!   1695
¡De rodillas os lo ruego!

CARLOS.   (*Prestando atención.*)
Espera. Alguien viene . . .
(*Empujándola hacia la puerta de la derecha.*)
                              Luego
saldrás. — Entra. —

CATALINA.   (*Resistiéndose*).   ¡Que os perdéis!
(*D. Carlos la obliga suavemente á penetrar
en la habitación, cerrando después la puerta.*)

ESCENA IX

D. CARLOS, CISNEROS.

CISNEROS. Señor, vengo á preveniros,
porque el momento se acerca.   1700
Van á dar las doce.

CARLOS.   ¿Viste
si falta?...

CISNEROS.   Todo está en regla:
los caballos preparados,
el dinero en las maletas.
Ya para marchar tan sólo   1705
vuestras órdenes se esperan.

CARLOS. — ¡Hora dichosa! —

CISNEROS.   Temiendo
yo que la dama encubierta,
prolongando la entrevista,
retrasara vuestra empresa,   1710
he querido adelantarme...

CARLOS. (*Receloso.*)
Hiciste bien.

CISNEROS. (*Con mal disimulada curiosidad.*)
                    — ¿Y quién era? —

CARLOS. No quiso quitarse el manto.

CISNEROS. ¡Señal infalible! Es fea.
¿Y conoce por ventura   1715
vuestros proyectos?

CARLOS. (*Con fingida indiferencia.*)
                              Apenas.
Sabe lo que el vulgo dice:

rumores, vagas sospechas . . .
¡Nada en suma!

CISNEROS.   (*Maliciando.*)   (Juraría
que está engañándome. ¡Alerta!)   1720

CARLOS.   Pero ¡asómbrate! ¡Qué cosas
la murmuración inventa!
(*Fijando con atención su mirada escrutadora
en Cisneros.*)
Me ha dicho que tengo un Judas
cerca de mí.

CISNEROS.   (*Dominándose y con aire tranquilo.*)
                         Bien pudiera
ser verdad. ¡Algunos hombres   1725
tienen el alma tan negra!

CARLOS.   (*Observándole.*)
(No se inmuta.)

CISNEROS.   (Me descubro
si vacilo.)

CARLOS.   (*Con intención.*)
                         ¿Á que no aciertas
el nombre que ha pronunciado?

CISNEROS.   ¡Difícil es eso!

CARLOS.   Prueba.   1730

CISNEROS.   ¿Garci-Osorio?

CARLOS.   No.

CISNEROS.   ¿Martínez
de Cuadra?

CARLOS.   No.

CISNEROS.   Quizás sea
Quintanilla . . .

CARLOS.   No.

CISNEROS.   ¿Tampoco?

Pues ya he resuelto el problema.
Soy yo. (¡Válgame la audacia!)   1735

CARLOS.   Has acertado.   (No tiembla.)
Y ¿qué harías en mi caso?

CISNEROS.   ¿Quién pregunta?... Si creyera
en la traición, mataría
al traidor. ¡Mi daga es esta!   1740
(*Ofreciéndosela con resolución al Príncipe.*)

CARLOS.   (*Convencido, rechazando la daga.*)
¡Oh, guárdala! Estoy seguro
de tu adhesión.   Es completa.
(No me mintió Catalina.
Todas sus zozobras eran
hijas del miedo.)

CISNEROS.   Lo dicho,   1745
dicho.   No me duelen prendas.
(Por milagro me he escapado.
¿Qué pasa aquí, y quién es ella?)

CARLOS.   Oye: preciso es que agucces
el seso.   Mendoza y Lerma   1750
vendrán á ver si descanso.
Entretenlos como puedas.
Yo me acostaré vestido,
y para que nada adviertan,
conviene...

CISNEROS.   Perded cuidado: 1755
eso de mi cargo queda.

CARLOS.   Antes de emprender la fuga,
irás á buscar á Iniesta
mi criado...

ESCENA X

DICHOS, LERMA, MENDOZA.

CARLOS.   (*Viéndoles.*) Entrad, señores.
Entrad.

LERMA.   ¿Tiene vuestra Alteza   1760
algo que ordenarnos?

CARLOS.   (*Con fingida alegría.*) ¡Vive
Dios! se me ocurre una idea.
Para que durmamos todos
sin temor y sin que vengan
á turbar nuestro reposo   1765
los sueños que el tedio engendra,
¿no os parece que podría
el bueno de Alonso, mientras
me desnudo, recitarnos
algún lance de comedia?   1770

MENDOZA.   ¡Por Dios! que está bien pensado.

CISNEROS. Mas vuestra Alteza comprenda
que de pronto y sin...

CARLOS.   ¿Te apuras
por eso? ¡Di lo que quieras!

CISNEROS. No sé como...

LERMA.   (*Con intención.*) Haz á lo vivo   1775
un buen paso. Representa
los terrores, las zozobras,
los sobresaltos y penas
de algún pícaro...

MENDOZA.   (*En el mismo tono.*) — Esa gente
es de tu gusto. —

LERMA.	Que espera, 1780
	porque se lo han ofrecido,
	perder entrambas orejas.
MENDOZA.	¡Bah, las orejas! Es poco.
	¿No será mejor que tema
	perder la vida?...
CISNEROS.	(*Furioso.*) (¡Me hostigan! 1785
	¡Viven los cielos!...)
CARLOS.	¿No empiezas?
CISNEROS.	Recordaré por serviros
	algo de la farsa nueva
	que estoy ensayando...
CARLOS.	¿Tiene
	buena invención?
CISNEROS.	¡Oh, muy buena! 1790
LERMA.	Y ¿qué argumento es el suyo?
CISNEROS.	Un hombre ruin que apalea
	á cierto hidalgo atrevido.
LERMA.	¿Será á traición?
CISNEROS.	¡Buena es ésa!
	¡Cara á cara! Porque el mozo 1795
	es de un alma tan resuelta,
	que no ha conocido el miedo.
LERMA.	¿Y sufre en calma la ofensa
	el hidalgo?
CISNEROS.	(*Con desprecio.*)
	¡Bah! El hidalgo
	tiene más larga la lengua 1800
	que la espada...
LERMA.	(*Irritado.*) (¡Vive Cristo!)
CISNEROS.	Para que el caso se entienda,
	expondré en pocas palabras

lo que la fábula encierra.
—El villano, que es casado, · · · · · 1805
sabe que el noble corteja
á su mujer, se apercibe,
busca la ocasión, la encuentra;
de acuerdo con el marido
cítale la esposa, llega · · · · · · · 1810
el hidalgo echando chispas . . . —

CARLOS. ¡Y el lance entonces se encrespa!
¡Bien, muy bien! Mientras me acuesto,
recítanos esa escena,
que es divertida.

(*Dirígese al lecho sin permitir que le acom-
pañen sus gentiles-hombres, y corre las cortinas.*)

· · · · · · · · · · · · Señores, · · · · · · 1815
muy buenas noches . . .

CISNEROS. · · · · · · · · · · · · · · ¡Comienza
la farsa! ¡Atención!

LERMA. · · · · · · · · · · · · · · (Te juro
que habrás de llorar la 'fiesta.)

CISNEROS. (*Declamando.*)
Quiere robarme el hidalguillo á Menga.
Va á venir esta noche . . . ¡Pues que venga! 1820
¡Ay! si ya me parece que le veo
asomar, retozándole el deseo,
buscar á mi mujer para regalo,
pedir un beso . . . y recibir un palo.
¿Un estacazo nada más? Es corta · · · 1825
ración. Daréle ciento. ¿Qué me importa
si ambos pagamos la función á escote?
Él pondrá las costillas, yo el garrote.

CARLOS.   (*Entre las cortinas.*)

¡Bien, Cisnerillos, bien!

CISNEROS.   (*Recitando.*)   Busca á mi esposa,

que es para su apetito miel sabrosa,   1830

y no sabe que guardo la colmena . . .

¡Zángano! ¡Dios te la depare buena!

(*Mirando de hito en hito á Lerma y Men-*
    doza con aire provocativo.)

¡Pues qué! ¿Para vengarse los villanos

no tienen lengua, corazón y manos?

LERMA.   (*Á Mendoza.*)

(¡No ví mayor osadía!   1835

¿Estáis oyendo? ¡Nos reta! . . .)

CISNEROS.   (*Suspendiendo el recitado.*)

Suena en esto una palmada

en la calle, Brito presta

atención . . .

CARLOS.   Será el galán

que sin duda hace la seña . . .   1840

CISNEROS.   Eso mismo.

CARLOS.   (*Impáciente.*)   Sigue, sigue,

que ya el lance me interesa.

CISNEROS.   (*Recitando.*)

Tal vez es la impaciencia con que espero;

pero jurara que se acerca . . .   Quiero

recibir dignamente á la hidalguía . . .   1845

(*Aparecen en este momento en la puerta de*
    la antecámara el príncipe de Éboli, el du-
    que de Feria y el prior D. Antonio de
    Toledo.)

CISNEROS.   (*Viéndoles aproximarse lenta y sigilosa-*
    mente, recita en voz baja.)

> ¡Cayó en la trampa! ¡La partida es mía!
> (*Detrás de aquellos señores entran Santoyo*
> *y Bernate, éste con algunas herramientas*
> *de cerrajería, D. Diego de Acuña con un*
> *hachón, y el último Felipe II. Todos de-*
> *ben avanzar con el mayor silencio.*)

CISNEROS. (*Siempre recitando en voz baja, pero con in-*
> *tención.*)
> Apagaré la luz y no haré ruido.
> Ya llega . . . ya está aquí . . .
> (*Viendo entrar al Rey en el dormitorio.*)
>   ¡Ya está cogido!

ESCENA XI

D. CARLOS *en el lecho,* CISNEROS *alejado,* LERMA *y* MEN-
DOZA, *vueltos de espaldas á la puerta de entrada,*
FELIPE II *y su comitiva.*

El Rey se adelanta hacia la cama del Príncipe, recoge
algunas armas colgadas al lado del lecho, entregán-
doselas á Santoyo.   Lerma y Mendoza reparan
en él y quedan como petrificados por la
sorpresa.   Pausa.

CARLOS.   (*Acostado en el lecho, notando el prolon-*
> *gado silencio de Cisneros.*)
> ¡Prosigue, prosigue!   El caso . . .
> (*Felipe II descorre las cortinas y se pre-*
> *senta á su hijo, que salta aterrado del*
> *lecho.*)
> ¡Ah!

FELIPE.	No os asustéis.	
CARLOS.	(*Alterado.*) ¿Qué intenta	185
	Vuestra Majestad? ¿Matarme	
	ó prenderme?	
CISNEROS.	(*Mirando al Rey con reconcentrada ira.*)	
	(¡Al fin me vengas!)	
FELIPE.	(*Reposadamente á su hijo.*)	
	No os quiero matar.	
CARLOS.	(*Fuera de sí corre á buscar sus armas,*	
	antes recogidas por el Rey. El príncipe	
	de Éboli le detiene.)	
	¡Oh triste	
	de mí!...	
ÉBOLI.	(*Sujetándole.*) ¡Señor!	
CARLOS.	(*Forcejeando.*) ¡Suelta, suelta!	
	—Dejadme morir...—	
FELIPE.	Calmaos.	1855
	Cuanto dispongo es por vuestra	
	seguridad.	
CARLOS.	(*Arrojándose á los pies del Rey con la más*	
	viva desesperación.)	
	¡Suerte ingrata!	
	—Señor, no os pido clemencia,	
	que ceder á la desdicha	
	menguado y cobarde fuera.	1860
	Tan sólo la muerte os pido.	
	¡Dádmela! Porque me pesa	
	esta miserable vida	
	de humillación y vergüenza.—	
FELIPE.	(*Alzándole del suelo y con tono grave, pero*	
	apacible.)	
	¡Mirad quien sois! Tened calma.	1865

(*Á los señores de su comitiva.*)
Id y coged con presteza
cuantas armas y papeles
guarde el Príncipe.

CARLOS.   ¡Esa ofensa!...

FELIPE.   ¡Lo mando yo!
(*El príncipe de Éboli, obediente á las órdenes del Rey, se dirige hacia el cuarto
donde está oculta Catalina.*)

CARLOS.   (*Interponiéndose.*)   No consiento...
¡Atrás! ¡Ay del que se atreva   1870
á pisar estos umbrales!

ÉBOLI.   (*Tratando de persuadirle.*)
Pero ved...

FELIPE.   (*Interrumpiéndole.*)
                              No le hagáis fuerza.
— Iré yo mismo.—Id clavando,
Santoyo, puertas y rejas.

ESCENA XII

TODOS, *menos* FELIPE II.

*D. Carlos se deja caer abatido en un sillón.   Cisneros
le contempla en silencio.*

MENDOZA.   (*Aparte á Lerma.*)
¿Habéis visto?

LERMA.   Cuando el mundo   1875
el grave suceso sepa,
se estremecerá de espanto.

MENDOZA.   Es verdad. ¡Quién lo creyera!

CARLOS.   (*En un movimiento de ira.*)
      ¡Oh! ¿Por qué no se desploma
      sobre mí el cielo?...
CISNEROS. (*Observándole.*)   ¡Flaqueza   1880
      indigna! ¿Pues no me aflige
      mi venganza satisfecha?

ESCENA XIII

DICHOS, FELIPE II, CATALINA, *con manto, conmovida y
sin poder apenas sostenerse.*

FELIPE.   (*Á Catalina.*)
      Acaso sienta después
      no haber tu ruego atendido.
CISNEROS. (*Reparando en ella.*)
      (¡La mujer que me ha vendido!...   1885
      ¿Y no he de saber quién es?)
FELIPE.   (*Con tristeza.*)
      Desoyó tu voz amiga...
CATALINA. (*Señalando al Príncipe.*)
      Ved cuánto sufre... ¡Piedad,
      señor!...
FELIPE.   (*Gravemente.*)
             ¡Basta!
      (*Al príncipe de Éboli.*)   Acompañad
      á esta dama adonde os diga.
      Perdono por la intención   1890
      la imprudencia...
CATALINA. (*Siempre con la vista fija en D. Carlos, des-
consolada y vacilante.*)
             ¡Cuánto llora!

> (*Al pasar por cerca de Cisneros, éste, que debe haber ido descendiendo hasta colocarse en primer término, dice á su hermana con voz fingida y tono amenazador:*)

CISNEROS. ¿Sabes tu suerte, traidora?

CATALINA. (*Vencida por la emoción se desmaya, y al caer, descubre el rostro. El príncipe de Éboli la recoge en sus brazos. Algunos caballeros de la comitiva rodéanla con curiosidad é interés.*)

¡Ay!

CISNEROS. (*Horrorizado.*) ¡Mi hermana! ¡Maldición!

ACTO CUARTO

———

Una de las habitaciones de la Cámara del Príncipe. Puerta en
el fondo, dos á la izquierda, y á la derecha dos balcones con
grandes cortinas. Bufete en el centro y tres sillones. El del
medio con las armas reales en el respaldo.

ESCENA PRIMERA

PRÍNCIPE DE ÉBOLI, CISNEROS, CATALINA *á un extremo.*

ÉBOLI.	Esto el Rey ordena y quiere.	1895
CISNEROS.	Pues se hará como lo manda	
	su Majestad . . .	
ÉBOLI.	Así espero.	
	Encargado de la guarda	
	del Príncipe, me parece	
	toda vigilancia escasa.	
CISNEROS.	No huelgan las precauciones:	1900
	tanto el dolor le quebranta,	
	que lo digo con profunda	
	pena, su salud se estraga.	
ÉBOLI.	Según el docto Olivares,	1905
	que de orden del Rey le trata	
	y asiste, de día en día	

su mal estado se agrava.
Es tan activa la fiebre,
que si pronto no se ataja   1910
pondrá en peligro su vida.

CISNEROS. Es verdad.

ÉBOLI.   Esto declara
la ciencia ...

CISNEROS.   Pues imagino
que el Príncipe lleva trazas
de hacer difícil la cura,   1915
si de sistema no cambia.
Sus desarreglos son tales,
que á pesar de su cristiana
condición, á veces creo
que la existencia le cansa.   1920
Sus excesos ...

ÉBOLI.   Tú, á quien oye
con algún reposo y calma,
podrías ...

CISNEROS.   ¡Ay! cuando el fuego
de sus iras se desata,
sólo una voz le apacigua: 1925
la voz de mi pobre hermana.

ÉBOLI. Por eso el Rey, convencido
de ese influjo y de que nada
hay en él que menoscabe
los respetos de su casa,   1930
ha dispuesto que en Palacio
viváis ...

CISNEROS.   ¡Ay, señor, qué amarga
satisfacción! En la corte
enemigos no me faltan ...

ÉBOLI.	El Rey os honra y protege.	1935
CISNEROS.	Es verdad, pero no basta.	
	Por ella sólo lo siento,	
	que por mí . . .	
	(*Señalando á su hermana.*)	
ÉBOLI.	Si alguien osara	
	ofenderla, perdería	
	del soberano la gracia.	1940
CISNEROS.	(*Resignándose.*)	
	Su Majestad lo dispone,	
	y yo . . .	
ÉBOLI.	La junta nombrada	
	para investigar los hechos	
	de esta empresa temeraria . . .	
CISNEROS.	Pero ¿el Rey quiere que juzguen	1945
	á su Alteza?	
CATALINA.	(*Saliendo de su abatimiento.*)	
	¡Dios me valga!	
	¿Qué dices, hermano? ¡Si esto	
	es imposible! . . .	
ÉBOLI	(*Severamente*). El monarca	
	para administrar justicia	
	sólo tiene una balanza.	1950
CATALINA.	(¡Ay, mi valor desfallece! . . .)	
	¿Y á que personas encarga . . .	
ÉBOLI.	El Cardenal Espinosa	
	es presidente . . .	
CATALINA.	(*Exaltándose.*) ¡Esto clama	
	á Dios! El mayor contrario	
	del Príncipe . . .	1955
CISNEROS.	(*Asustado, á Éboli.*)	
	¡Perdonadla!	

ÉBOLI.   Porque conozco que el celo
            á tal exceso la arrastra,
            olvidando mis deberes,
            no pongo coto á su audacia.   1960
CATALINA.   Pero ved . . .
ÉBOLI.   —¡Silencio, digo!—.
            Excusad necias palabras.
            (*A Cisneros.*)
            Dentro de poco cumpliendo
            las órdenes soberanas,
            el Cardenal Espinosa   1965
            vendrá conmigo á esta estancia.
            Díselo.
CATALINA.   Pero si llega
            su Alteza á saber la causa
            ¿no comprendéis? . . .
ÉBOLI.   (*Secamente.*)   Esto quiere
            su Majestad.

ESCENA II

CISNEROS, CATALINA.

CISNEROS.   (*Alterado.*)   ¡Desgraciada!   1970
            ¿Qué te propones? ¿Qué intentas?
CATALINA.   (*Con amargura.*)
            ¿Y me lo preguntas?
CISNEROS.   ¿Tanta
            es tu pasión que no puedes
            siquiera disimularla?
CATALINA.   Harto ha dormido en mi pecho   1975
            escondida y solitaria.

¡Ay! ¡Cuántas noches de insomnio
he pasado! ¡Cuántas, cuántas
oculto llanto he vertido
sin que tú lo sospecharas!   1980
—¿Qué haces, loca?—me decía
llena de zozobras.—Amas
un vago sueño, una sombra,
un imposible que mata.
Arráncale de tu pecho.   1985
¡Arráncale!—Y yo, agitada,
á su influjo resistía;
mas ¿cómo huir de las garras
de este amor que me trastorna
¡ay! si le llevo en el alma?   1990

CISNEROS.   (*Con angustia.*)
¡Es verdad! ¡Estaba ciego,
ciego por mi mal estaba!

CATALINA.   ¡Sí, bien dices! Dominado
por ese afán de venganza,
que oscurece tus sentidos,   1995
y te envilece y te infama,
no conociste mis penas,
no penetraste mis ansias...

CISNEROS.   (*Desesperado.*)
¡Bien el cielo me castiga!

CATALINA.   ¡No viste, no viste nada!   2000

CISNEROS.   ¡Maldiga el cielo la hora
en que le hablaste!...

CATALINA.   ¡Mal haya
el momento en que le trajo
á nuestro hogar la desgracia!
¿Por qué razón misteriosa,   2005

	que no se explica y me espanta,	
	causó en nuestros corazones	
	sacudidas tan contrarias?	

CISNEROS. ¡Ambas mortales!

CATALINA.   Bien dices,
hermano; mortales ambas.   2010
En ti el odio, en mí el amor,
¡pero amor sin esperanza!

CISNEROS. (*Con acerbo dolor.*)
Es que yo he debido hacer
lo que he hecho. ¿No es cierto?

CATALINA. (*Con indignación.*)   ¡Oh, calla!

CISNEROS. Era justo que tomase   2015
del Rey fieras represalias,
que la ofendida memoria
de mi padre apaciguara,
que vengase nuestra afrenta,
que lavase nuestra infamia...   2020
¡Estoy satisfecho!

CATALINA. (*Con ira.*)   ¡Mientes!

CISNEROS. (*Con decaimiento.*)
¡Ay, es verdad! ¡Tenme lástima!
Mas ese amor, Catalina,
te mancilla...

CATALINA.   Pura y casta
puedo levantar mi frente.   2025

CISNEROS. Lo sé. Pero si intentara
el Príncipe...

CATALINA.   ¡Nada sabe!

CISNEROS. ¡Infeliz, cómo te engañas!
Tú, que cediendo al influjo
de esa inclinación bastarda,   2030

viniste á verle la noche
de su prisión; tú ¡insensata!
¿piensas que no lo adivina?
El amor, como la llama,
cuanto más se le comprime   2035
con tanta más fuerza estalla.
Pero aun tiene cura el daño.
Huyamos lejos de España,
¡muy lejos! donde consigas
olvidar con la distancia   2040
ese amor desesperado ...

CATALINA.   (*Con desaliento.*)
¿Olvidar? Cuando no lata
mi corazón ...

CISNEROS.   No desoigas
mi ruego ...

CATALINA.   ¡Súplica vana!
¿Yo renunciar á la dicha   2045
que los cielos me deparan
de compartir su infortunio?
¡Si era cuanto deseaba!
Está enfermo, está oprimido:
y si mi adhesión no alcanza   2050
á evitar sus desventuras,
podrá al menos consolarlas.

CISNEROS.   ¿Y la honra?

CATALINA.   ¡Yo me defiendo!

CISNEROS.   (*Fuera de sí.*)
¿Qué esperas? dime, ¿qué aguardas?

CATALINA.   (*Con resolución.*)
¡Si muere, morir con él,   2055
y salvarme si él se salva!

CISNEROS.   (*Con viva aflicción.*)
    ¡Triste de mí! He concentrado
    mis afecciones más caras
    en ti ¡mi sola familia,
    mi dicha, mi honor, mi patria!   2060
    y tú, olvidándolo todo,
    de tu vil pasión esclava,
    cuando te tiendo la mano,
    sin compasión me rechazas.
    ¡Ay! al sentir tus rigores   2065
    en mi pecho se levantan,
    como terribles ensueños,
    sospechas mal apagadas.
    Y á pesar de tus excusas,
    recuerdo la noche infausta   2070
    de la prisión . . .

CATALINA.   (*Con desprecio.*)   ¿Y recelas
    de mí? . . .

CISNEROS.   ¡Y esta herida sangra!

CATALINA.   Pues si él hubiera sabido
    ¡monstruo! que tú le engañabas,
    ¿no ves que te hubiera muerto, 2075
    como á traidor, por la espalda?

CISNEROS.   ¡Ah! Perdóname. ¡Estoy loco!
    Si un solo recuerdo guardas
    de aquel afecto nacido
    al calor de nuestra infancia,   2080
    por nuestro propio sosiego
    huyamos de aquí . . .

CATALINA.   (*Con resolución.*)   Te cansas
    en vano.

CISNEROS.   ¡Te lo suplico

por la memoria sagrada
de nuestro padre!

CATALINA.   Sería,   2085
si cediese, deshonrarla.

CISNEROS. Piénsalo bien, Catalina.
Mira, por Dios, que me apartas
de la salvación . . .

CATALINA.   ¡No puedo!

CISNEROS. Mira que sólo desatan   2090
los lazos que nos sujetan
la ausencia . . . ¡ó la muerte!

CATALINA.   ¡Oh, basta!

CISNEROS. Estás resuelta?

CATALINA.   ¡Y lo dudas
todavía!

CISNEROS. (*Enternecido.*)

                     ¡Ingrata, ingrata!

CATALINA. (*Viendo salir á D. Carlos.*)
¡Silencio! El Príncipe . . .

ESCENA III

DICHOS, D. CARLOS, *sin espada, demudado.*

CARLOS.   ¿Aquí   2095
estabais?

CISNEROS.   Si vuestra Alteza
quiere estar solo . . .

CARLOS. (*Con amarga ironía.*) ¡Simpleza
como la tuya!

CISNEROS.   Creí . . .

CARLOS. ¡Querer, querer! En verdad

que no he visto majadero 2100
como tú.—¡Yo nada quiero!—
¿Tengo acaso voluntad?
¡Por Dios, la salida es buena!...

CATALINA.   (¡Cuánto sufre el desdichado!)

CARLOS.   ¡Querer! Y estoy amarrado 2105
como un perro á su cadena.

CATALINA.   Calmad la viva inquietud
que vuestro espíritu abate.
Ved que este rudo combate
quebranta vuestra salud. 2110
Enfermo estáis...

CARLOS.   No lo ignoras.
Pero deja que celebre
mi próximo fin...¡Oh fiebre
que mis entrañas devoras,
con qué profunda alegría 2115
te siento hervir en mis venas!
Tú romperás las cadenas
en que gime el alma mía.
Las puertas me vas á abrir..

CATALINA.   Con lágrimas os lo ruego. 2120
Corréis desalado y ciego
á la muerte...

CARLOS.   (*Extraviado.*) ¿Qué es morir?
Morir es no conocer,
guardar cuanto el alma encierra
en dura cárcel de tierra 2125
que nadie puede romper.
Es penetrar el destino,
siempre oscuro y agitado.
Es en fin haber llegado

al término del camino.   2130
¿Qué importa, pues, que sucumba?
—Pero ¿por ventura, es cierto
que aun existo?—¡No! ¡Si he muerto!
Este Palacio es mi tumba.
Sólo que Dios compasivo   2135
da la paz al que murió,
y yo sufro mucho... ¡Y yo
estoy enterrado vivo!

CISNEROS.   (¡Esto me horroriza!...)
CARLOS.   Sí...
Claro lo dice esa puerta   2140
¡ay! para todos abierta
y cerrada para mí.

CATALINA.   ¡Qué aciaga suerte la mía!
Diera la mitad del alma
por devolveros la calma   2145
que vuestro espíritu ansía.
¿Qué puedo hacer? Ordenad,
señor...

CARLOS.   ¡No llores, no llores!
¡Si estos intensos dolores
anuncian mi libertad!   2150
Miro acercarse el ocaso
de mi vida... ¡Estoy enfermo!...

CATALINA.   (Acongojada.)
Señor...

CARLOS.   Sobre hielo duermo,
y no sosiego y me abraso.
Y en el silencio supremo   2155
de mis noches borrascosas,
por las heladas baldosas

ando descalzo y me quemo.
Y no puedo mitigar
mi sed . . .

CATALINA. (*Llena de dolor.*)

        ¡Oh Dios! ¡Que esto pase! . . . 2160

CARLOS. ¡No podría, aunque agotase
las olas del hondo mar!
Nada apacigua este interno
ardor, este frenesí . . .
¡Y cómo, si llevo en mí   2165
todo el fuego del infierno!
¡si en este insondable abismo
llevo mi ambición inquieta,
que aprisionada y sujeta,
se ha vuelto contra mí mismo!   2170
mi esperanza malograda
y muerta por la mentira,
que se ha convertido en ira,
¡en ira desesperada!
mi vivo anhelo de gloria,   2175
cuyo recuerdo me altera . . .
(*Cayendo de codos sobre la mesa y cubrién-*
  dose el rostro.)
¡Ay, Dios mío! ¡Quién pudiera
arrancarse la memoria!

CISNEROS. (*Confuso y amedrentado al ver la desespe-*
  ración de D. Carlos.)
¡No, no! Me falta el valor.
Preciso es que esto concluya.   2180

CATALINA. (*Aparte á Cisneros.*)
¿Y por qué? ¿No es obra tuya?
¡Gózate, hermano!

(En un arranque de ira.)

¡Ah, traidor!

CISNEROS.   ¡Vamos de aquí! Te prometo...

CATALINA.   ¡Desdichado! ¿Adónde irás
que no te persiga? Estás   2185
á tu víctima sujeto.

CISNEROS.   Huyamos por compasión.
Tengo miedo...

CATALINA.   Es tu castigo.

CARLOS.   *(Levantándose con la mayor exaltación.)*
Pero ¿quién? ¿Qué falso amigo
se goza en mi perdición?   2190
(Aproximándose á Cisneros.)
Tú quizás...

CISNEROS.   ¡Por Belcebú!
¿Otra vez?... (Estoy turbado...)

CARLOS.   *(Desechando este pensamiento.)*
¡Imposible! Te he colmado
de favores. ¡No eres tú!
*(Cisneros baja la cabeza abrumado por la
    vergüenza.)*
¿Quién puede ser?...—Bien decías,   2195
Catalina...—

CATALINA.   (¡Esto es crüel!)

CARLOS.   El corazón te era fiel
cuando mi mal presentías.
¡Si yo te hubiera creído!

CATALINA.   No se abata Vuestra Alteza,   2200
porque también hay grandeza
en la calma del vencido.

CARLOS.   *(Desalentado.)*
¡Es verdad! ¿De qué me quejo?

ESCENA IV

DICHOS, EL CONDE DE LERMA.

LERMA.   Señor . . .

CARLOS.   (*Volviéndose.*)
    ¿Qué queréis? ¿Quién osa? . . .

LERMA.   El Cardenal Espinosa   2205
    y otros miembros del Consejo,
    piden para entrar licencia.

CISNEROS.   (Y yo que nada le he dicho . . .)

CARLOS.   (*Maravillado.*)
    ¿El Cardenal? . . . Ya es capricho.
    Y ¿qué busca su Eminencia?   2210

LERMA.   Obedeciendo á la ley
    y por el bien del Estado . . .

CARLOS.   ¡Ah! comprendo. ¡Es que ha mandado
    abrir mi proceso el Rey!
    (*Con desdén.*)
    Id, á mis jueces espero.   2215

ESCENA V

DICHOS, *menos* EL CONDE DE LERMA.

CISNEROS.   (*Queriendo explicarle lo que pasa.*)
    Acaso su Majestad . . .

CARLOS.   (*Sin oírle, á Catalina.*)
    ¿Lo ves? No tiene piedad.
    No la tiene . . . ¡Ni la quiero!
    Me amaga con el castigo . . .

CATALINA. Señor, ¿qué vértigo os ciega?   222~

CARLOS.   (*Amargamente.*)

           ¿Qué más ventura? Me entrega
           á mi mayor enemigo.

CISNEROS. De fijo el monarca ignora . . .

CARLOS.   (*Con ironía.*)

           ¡Padre piadoso! Me diste
           una vida ociosa y triste.   2225
           ¡Arráncamela en buen hora!
           —¡Oh dicha jamás soñada!—
           Cuando me impongas la muerte
           no tendré que agradecerte
           nada . . .

CATALINA.   ¡Qué horror!

CARLOS.   (*Fuera de sí.*)   ¡Nada, nada!   2230
           Mi vida es pesado yugo,
           padre . . .

CATALINA.   ¡Qué espantosa idea!

CARLOS.   Rómpele pronto, aunque sea
           por la mano del verdugo.
           (*Reponiéndose por medio de una transición
           brusca.*)
           —¿Qué digo? El verdugo no.—   2235

CATALINA. (*Horrorizada.*)
           ¡Callad!

CARLOS.   Esa mano impura
           jamás llegará á la altura
           en donde me encuentro yo.

CATALINA. ¿Por qué no tenéis piedad
           de mí?

CARLOS.   (*Con ternura.*)

                   Tú eres, Catalina,   2240

la única luz que ilumina
mi profunda oscuridad.
Sólo una gracia te pido.

CATALINA. Decid . . .

CARLOS.   Si juzgado fuera,
no, no consientas que muera   2245
deshonrado, envilecido.

CATALINA. No llegará esa ocasión.

CARLOS. Mas si llega . . .

CATALINA. (*Con tono resuelto.*)

                              ¡Estad seguro!

CARLOS. ¿Me lo juras?

CATALINA. (*Con solemnidad.*)

                              Os lo juro
por mi eterna salvación.   2250

CARLOS. Pero ya se acercan . . . ¡calla!

CISNEROS. (*Haciendo esfuerzos para llevarse á su hermana, que permanece muda y llorosa.*)
¡Oh, vamos!

CARLOS. (*Á Catalina.*)   Sólo en ti fío.

CATALINA. (*Catalina siguiendo á Cisneros.*)
¿Qué corazón es el mío
que sufre tanto y no estalla?

ESCENA VI

D. CARLOS, EL CARDENAL ESPINOSA, EL PRÍNCIPE DE ÉBOLI
y el licenciado BRIBIESCA, *secretario.*

CARLOS. Entrad, señores.

CARDENAL.   Con pena   2255
nuestro imperioso deber

cumplimos . . .

CARLOS.   (*Irónicamente.*) ¿Qué habéis de hacer
            si el Rey mi padre lo ordena?

CARDENAL.   No es cosa que satisfaga
            la misión . . .

CARLOS.   Ella os permite   226
            tomar al cabo desquite
            del lance aquel de la daga.

CARDENAL.   Mal me juzgáis, según veo,
            y no hay motivo . . .

CARLOS.   Tal vez.
            Pero no es bueno que el juez   226
            recuerde agravios del reo.

CARDENAL.   En mi rectitud confío.
            —¡Empecemos!—
            (*Se sienta en el sillón de cabecera, y los de-*
            más se disponen á hacerlo en los inme-
            diatos.)

CARLOS.   (*Al Cardenal.*)   Estáis mal
            colocado. Ese sitial
            no os corresponde. Es el mío.   227

CARDENAL.   (*Levantándose confuso.*)
            Vuestra Alteza olvida . . .

CARLOS.   No.
            Mucho os estimo y venero.
            Pero soy el heredero
            (*Sentándose.*)
            del reino, y presido yo.

CARDENAL.   (*Humildemente.*)
            Fuera en mí temeridad   227
            resistir . . .

CARLOS.   Tal me parece.

CARDENAL. ¿Permitís, señor, que empiece
          la información?

CARLOS.   (*Gravemente.*) Empezad.

CARDENAL. Se os hacen cargos muy grandes,
          imputándoos el delito   2280
          de haber buscado y escrito
          á los rebeldes de Flandes;
          de haber con esto alentado
          la herejía pertinaz,
          poniendo en riesgo la paz   2285
          de la Iglesia y del Estado;
          de haber tenido intención
          de escapar furtivamente
          para poneros al frente
          de esa injusta rebelión.   2290

CARLOS.   ¿Eso es todo?

CARDENAL.   Averiguar
          debo . . .

CARLOS.   Excusadme el trabajo
          de oíros.
          (*Al licenciado Bribiesca.*)
                              Poned debajo
          que no quiero contestar.

CARDENAL. Mirad que es notable error . . .   2295

CARLOS.   (*Sin hacerle caso.*)
          Secretario, acabad luego
          y escribid en otro pliego
          esto que os dicto.
          (*El licenciado Bribiesca escribe.*)

CARLOS.   (*Dictando.*)   «Señor:
          »obediente á vuestra ley,
          »podéis, y no he de ofenderme,   2300

»como padre aborrecerme,
»castigarme como Rey.
» El cielo al nacer os dió
»derechos. Hijo y vasallo,
»me sujeto á vuestro fallo,   2305
»pero á la ignominia, no.
» Ni perdón ni gracia pido,
»mas recuso una y cien veces
»el tribunal y los jueces
»á que me habéis sometido.   2310
» No es que defienda mi vida.
» Casi desde que nací
»viene siendo para mí
»dura carga aborrecida.
» Y en prueba de que no abrigo   2315
»tan cobarde pensamiento,
»con profundo acatamiento
»ante vos declaro y digo:
»que ansioso de sacudir
»yugo que me es tan pesado,   2320
»es cierto que he conspirado
»y que he pretendido huir;
»que es criminal este empeño,
»causa de mi rebeldía;
»pero ¡ay Dios! que todavía   2325
»con él vivo y con él sueño.»
    (*Tomando una pluma.*)
Pongo mi firma.

CARDENAL.   En conciencia
os digo...

CARLOS.   Todo es en vano.
Dadla al Rey en propia mano,

y excusad vuestra presencia.   2330
Nada le expongo en mi abono,
todos mis actos confieso.
(*Marchándose y con acento desdeñoso.*)
Mirad si podéis con eso
dar pábulo á vuestro encono.
(¡Me siento morir!...)

ESCENA VII

DICHOS, *menos* D. CARLOS, *después* FELIPE II.

CARDENAL.   Señores,   2335
el furor que le trastorna
le hace olvidar el respeto
debido á nuestras personas.
ÉBOLI.   Nuestra competencia niega.
Preciso es que el Rey conozca   2340
lo que pasa...
FELIPE.   (*Entrando.*)   Por desdicha,
todo lo escuché.
CARDENAL.   No hay forma
de vencer su resistencia.
FELIPE.   Harto lo he visto y me enoja.
Dadme esa carta y dejadme.   2345

ESCENA VIII

FELIPE II.

¿Conque es decir que su loca
obstinación, ni se ablanda

con la piedad, ni se doma
con el rigor? ¿Conque es fuerza
que á mil peligros exponga   2350
el reino, ó que de mi sangre
misma los gritos desoiga?
—¡Señor, á qué duras pruebas
me sujetáis! Largas horas
pacientemente he esperado   2355
que alumbrarais su memoria.
¡Vana ilusión! ¡Imposible
deseo! Ni una vez sola
me ha llamado.—Y cuando intento
ver si la amenaza logra   2360
ponerle en mejor camino,
en este papel pregona
su incurable rebeldía,
que aun vencida, se desborda.—
Es culpado ... pero es mi hijo.   2365
(*Rompiendo el pliego.*)
¡Oh, rompa mi mano, rompa
esta acusadora carta,
no dé con ella la historia!
Tanto su razón confunde
esa ambición desastrosa,   2370
que nada escucha ... ¡Ay, no sabe
lo que pesa una corona!

ESCENA IX

FELIPE II, CATALINA.

CATALINA.   Aquí el Rey . . . ¡si me atreviera
            á suplicarle! . . .

FELIPE.   Me asombra . . .
            (*Reparando en Catalina.*)
            ¡Ah!

CATALINA.   Perdonad si confusa,   2375
            llena de mortal zozobra,
            me atrevo á hablaros . . .

FELIPE.   ¿Qué quieres?
            Habla: tu adhesión te abona.

CATALINA.   Pero ¿quién mira impasible
            las desventuras que agobian   2380
            á su Alteza?

FELIPE.   (*Con pena.*)   ¡Él lo ha querido!

CATALINA.   ¡Si vierais, señor, cuán honda
            es su amargura! ¡Qué tristes
            son sus días! ¡Qué espantosas
            sus noches! . . . Tenaz dolencia   2385
            sus fuerzas destruye y postra,
            y como luz sacudida
            por ráfagas borrascosas,
            su vida se va apagando
            entre continuas congojas.   2390

FELIPE.   ¡Él lo ha querido!

CATALINA.   ¡Si es cierto!
            ¡Si es verdad! Pero ¿qué importa?
            Cuanto mayor es la ofensa

es más grande el que perdona.
Dios, que es la suma justicia,   2395
busca al alma pecadora ...

FELIPE.   Pero arrepentida.

CATALINA.   Acaso
lo está ...

FELIPE.   Díganlo sus obras.
Cuando la oveja perdida
al redil seguro torna,   2400
vuelve humilde y no soberbia,
y en vez de quejarse, implora.

CATALINA. Tal vez teme vuestras iras ...

FELIPE.   ¿Y por eso las provoca?

CATALINA. Está enfermo, sus dolencias   2405
turban su razón que boga
cual desmantelada nave
por las alteradas olas.
¡Y padece tanto ... tanto! ...
¡Ay! si yo pudiera á costa   2410
de la mitad de mi vida
salvarle ...

FELIPE.   (Conmovido.)
                    ¡Eres buena! ¡Lloras! ...
¡Ojalá que tus consejos
seguido hubiera! Mas todas
tus súplicas se estrellaron   2415
en su corazón de roca.
Y hoy mismo, cuando le envuelven
de su perdición las sombras,
como el acero templado
se rompe, mas no se dobla.   2420

CATALINA. No miréis más que sus penas.

¿Á qué recordar ahora
los pasados extravíos?
Padre sois, ¡misericordia,
señor!...

FELIPE.   (*Conmovido.*)

          ¡Basta!

CATALINA.   ¡Es hijo vuestro!   2425

FELIPE.   Él mis reinos alborota.

CATALINA.   ¿Por qué á venceros no alcanzan
mis ruegos? Si se prolonga
su estado...

FELIPE.   Como tú misma
por él mi cariño aboga.   2430
Pero el Rey está ofendido,
porque conservar le toca
la paz de la monarquía
que está bajo su custodia.
Y mientras el Rey no obtenga   2435
pruebas de adhesión notorias,
el padre, ahogando en el pecho
su pena profunda y sorda,
llorará quizás... ¿Quién duda
que llorará? ¡Pero á solas!   2440
—¿Dónde está el Príncipe?—

CATALINA.   (*Señalando la puerta de la izquierda.*)

              En esa
estancia, quizás esconda
sus pesares...

FELIPE.   (*Avanzando.*) Iré á verle.
(*Viéndole aparecer.*)
Mas no es preciso: él asoma.

ESCENA X

DICHOS, D. CARLOS.

CARLOS.   (*Observándolos.*)
(¡El Rey con ella!... ¿Qué es esto?)   2445
¿Aquí vos?... (¡Cuán recelosa
es la desgracia!...)

FELIPE.   ¿Os sorprende?
(*Á Catalina.*)
Déjanos.

CATALINA. (*Llorando.*)   (¡Dios le socorra!)

ESCENA XI

FELIPE II, CARLOS.

CARLOS.   Señor...

FELIPE.   Estáis alterado.
Nada temáis...

CARLOS.   (*Altivo.*)   ¿Pues yo tengo   2450
que temer?

FELIPE.   (*Afectuosamente.*)
                    Á veros vengo,
aunque no me habéis llamado.
¡Tenéis empeño, por Dios,
en aumentar mis pesares!
El buen doctor Olivares   2455
no está contento de vos.
Desoyendo sus expresos
mandatos, solo y sin guía,

os entregáis noche y día
á perniciosos excesos;   2460
estragáis vuestra salud,
y acabaréis, si esto dura,
con la vida . . .

CARLOS.   ¿Por ventura
es vida la esclavitud?

FELIPE.   Pídole á Dios con fervor   2465
que os saque de tanto duelo.

CARLOS.   Cuentan que mi excelso abuelo
el glorioso Emperador,
contrariando su piedad,
de que el mundo ejemplo toma,   2470
dispuso el cerco de Roma
y prendió á Su Santidad.
Cuando vió bajo su mano
el cayado y la tiara,
rogóle á Dios que librara   2475
al pontífice romano.
Y decía en su simpleza
la plebe alegre y burlona:
—Si reza ¿por qué aprisiona?
Si aprisiona ¿por qué reza?—   2480

FELIPE.   (Dominando su indignación.)
¡Vive Dios, que estáis discreto!
El vulgo piensa quizá
que el Rey, por serlo, no está
á ley alguna sujeto.
Mil veces, en la fatiga   2485
que el regio oficio ocasiona,
dícele el amor:—¡Perdona!—
y la obligación:—¡Castiga! —

CARLOS.   Ni la ley ni la conciencia
            quieren implacables jueces.   2490
FELIPE.   Mas sí justos. ¡Cuántas veces
            es crüeldad la clemencia!
            ¿Qué dijerais en su daño
            del pastor que en necio arrobo
            tuviera piedad del lobo,   2495
            cuando le diezma el rebaño?
CARLOS.   Desechad la compasión
            del alma. ¡Nada deseo!
FELIPE.   (*Dominándose difícilmente.*)
            Tanta altivez en el reo
            hace imposible el perdón.   2500
CARLOS.   ¿Pues yo, señor, os le pido?
FELIPE.   Vuestra audacia me provoca.
CARLOS.   Ha tiempo sé que me toca
            sufrir la ley del vencido.
            ¡No me es la suerte propicia!   2505
FELIPE.   La ambición os tiene ciego.
CARLOS.   ¿Qué más queréis, si me entrego
            sumiso á vuestra justicia?
            Puedo en el tremendo azar
            que me depara la suerte,   2510
            padecer, sufrir la muerte;
            pero ¡humillarme! ¡rogar!...
            ¡sucumbir á los temores
            del riesgo á que estoy sujeto!
            ¡labrar mi infamia!...—¡Yo, nieto   2515
            de reyes y emperadores!—
            ante el mal que me amenaza
            mostrar torpe cobardía...
            ¡Oh, nunca! Os deshonraría

á vos y á toda mi raza.   2520

FELIPE.   (*Exaltándose.*)

¡Insensato! ¿adónde vas?
Me espanta lo que profieres.
¿Qué buscas, dime, qué quieres?
¡Soberbia de Satanás!
Airado Dios te abandona.   2525

CARLOS.   Es que el honor me ilumina.

FELIPE.   Di, más bien, que te fascina
el brillo de mi corona.
¡Que tanto ese afán te irrite!
Te revuelves, te exasperas   2530
contra mí... ¿Por qué no esperas
á que el tiempo me la quite?
¿Soy inmortal, por ventura?

CARLOS.   Y ¿quién á pensar se atreve?...

FELIPE.   ¿Temes quizás que me lleve   2535
el reino á la sepultura?
Pero Dios vela por mí.
Nadie ampara tus traiciones.
¡Ni siquiera esos histriones
que has elevado hasta ti!   2540
Tu ambicioso desconcierto
sólo contrarios te crea.
Estás aislado...

CARLOS.   (*Alterado.*)   ¡Qué idea
mi razón asalta!... ¡Es cierto!

FELIPE.   ¡Oh!

CARLOS.   Los dejáis á mi lado   2545
porque ingratos me han vendido.
¡También ella!
(*Con profunda desesperación.*)

¿Habré nacido
sólo para ser odiado?
¡En todos, en todos dolo,
falsedad é hipocresía!   2550

FELIPE.   (*Fuera de sí.*)
¡Este insensato quería
ser en la perfidia solo!

CARLOS.   ¡Sed implacable, crüel!
¡Estoy ansiando el castigo!
—¡Oh dolor! mi último amigo,   2555
el único acaso fiel,
tú matas; ¡pero no engañas!—
—¡Y mentían!... Y su celo,
su compasión ... ¡Siento el hielo
de la muerte en las entrañas!   2560
¡Ay, qué abismo tan profundo
de maldad!—Y no poder
vengarme ...—¡Con qué placer
viera desquiciarse el mundo!
¡Estoy preso, y nada puede   2565
mi desesperado encono!...

FELIPE.   ¡Oh, callad! Os abandono.
¡No permita Dios que quede
sujeto reino cristiano
á tan fieros extravíos!...   2570

CARLOS.   ¡Me estoy ahogando!...

FELIPE.   (*Ciego de ira.*)   ¡Moríos,
si habéis de ser un tirano!

ESCENA XII

D. CARLOS, *solo*.

¡Moríos! dijo... — ¡Es verdad!—
¡Alma incorregible y terca,
cede...¡No puedo!—Se acerca   2575
la muerte en la oscuridad.—
¡Todos en mi desventura
se gozan!...¡Cisneros! ¡Ella!...
—¡Ella! ¡qué asombro! ¡tan bella...
y tan pérfida y tan dura!—   2580
¿Para su inicua traición
hay motivo? ¿Qué les he hecho?
Este golpe va derecho
á herirme en el corazón.

ESCENA XIII

D. CARLOS, CATALINA.

CATALINA. Solo está... Podré saber   2585
si el Rey al fin conmovido...
(*Se acerca al Príncipe con interés.*)
CARLOS.   (*Rechazándola.*)
¿Por qué te habré conocido?
CATALINA. (*Maravillada.*)
No acierto...
CARLOS.   ¡Aparta, mujer!
CATALINA. Señor, me llenáis de dudas.
— No sé...—

CARLOS.   ¡Me habéis engañado!   2590
CATALINA. ¡Dios del cielo!
CARLOS.   ¿Qué os han dado,
          ruin descendencia de Judas?
          ¡Regocíjate! La herida
          es mortal.—¡Llama á Cisneros!—
          ¡Me habéis vendido!
CATALINA.   ¿Venderos   2595
          yo, que os consagro la vida?
          ¿Yo, que mi parte reclamo
          en vuestro dolor sombrío?...
CARLOS.   ¡Oh, calla, calla!
CATALINA.   ¡Dios mío!
          ¿Yo venderos? ¡Yo, que os amo!   2600
          Pero ¿qué he dicho? ¡Delira
          mi razón!...
CARLOS.   (*Perdiendo las fuerzas.*)
                         ¡Oh, suerte aciaga!
          Me está engañando y me halaga
          en sus labios la mentira.
          ¡Qué dulcemente me hiere   2605
          su acento!...
          (*Desvanecido, sin ver ya á Catalina y como
             buscándola.*)
                         ¿Dónde está? ¿Dónde?
          (*Cae desplomado en un sillón.*)
CATALINA. (*Fuera de sí llamándole.*)
          ¡Señor, señor! (*Horrorizada.*)
                         ¡No responde!...
          (*Gritando desesperada.*)
          ¡Favor! ¡Su Alteza se muere!

ESCENA XIV

DICHOS, CISNEROS, *después* EL CONDE DE LERMA, D. RO-
DRIGO DE MENDOZA, *caballeros, monteros de Espinosa
y gentiles-hombres que acuden en auxilio del
Príncipe al fin del acto.*

	¡Socorro! ¡Favor!
CISNEROS.	(*Entrando.*) ¿Qué es esto?
CATALINA.	(*Furiosa.*) ¡No te acerques! Te abomino. 2610
	Cuando mata un asesino . . .
CISNEROS.	(*Aterrado.*)
	¡Hermana!
CATALINA.	¡Abandona el puesto!

ACTO QUINTO

La misma decoración del acto anterior. En lugar del bufete,
un mueble de la época, donde pueda descansar el Príncipe
D. Carlos.

ESCENA PRIMERA

CISNEROS, CATALINA.

CISNEROS.   ¡Llora! Si el llanto es la lluvia
               del corazón que padece
               y que sin este consuelo   2615
               se agosta, se seca y muere.
               ¡Ay! á todo me resigno.
               Pero, por Dios, no te empeñes
               en continuar en Palacio
               por más tiempo. No es prudente.   2620
               ¿Callas? . . . ¿Nada me contestas?
               Ese silencio es mil veces
               peor que el ansia que estalla
               con los gritos de la fiebre.

CATALINA.   ¡Es verdad! ¿Por qué estoy muda?   2625
               ¿Por qué el corazón doliente
               para sentir sus pesares
               ni voz ni lágrimas tiene?
               Quiero llorar, y no acierto.
               Quiero gritar, y parece   2630

    que á mi garganta se enrosca
    el dolor como una sierpe.

CISNEROS. ¡Ten ánimo!

CATALINA.   ¿Puedo acaso?
    ¡Desesperación! Tú eres
    implacable, misteriosa   2635
    y muda como la muerte.

CISNEROS. ¡Es imposible! Sería
    un crimen si consintiese
    por más tiempo estas torturas
    que nos matan lentamente.   2640
    El Rey, viendo que su Alteza
    ni hablarnos ni vernos quiere,
    para abandonar la corte
    su permiso nos concede.
    ¡Vámonos hoy mismo! ¡Hoy mismo!   2645
    (*Observando la distracción de su hermana.*)
    ¡Triste de mí! ¿No me atiendes?
    Óyeme, hermana.

CATALINA.   ¿Qué dices?...
    ¡Ay, Dios! ¡Tormento como éste!
    Estás hablándome, escucho,
    quiero enterarme, y se pierden   2650
    tus palabras en mi oído
    confusas é incoherentes.
    La luz del sol con sus vivos
    resplandores me entristece,
    y por todas partes, sombras,   2655
    terribles sombras me envuelven.
    ¿Esto es vida? Si esto es vida,
    ¿qué pasa en la tumba?...

CISNEROS. (*Con honda amargura.*)   Denme

los cielos valor y calma,
si mi culpa lo consiente.   2660
Digo, Catalina, y quiero
que procures entenderme,
que hoy partiremos de España,
porque estoy, pese á quien pese,
resuelto á salir de aquí.   2665

CATALINA.   (*Distraída.*)

¿Pues me opongo acaso? Véte.

CISNEROS.   Pero contigo . . .

CATALINA.   ¿Conmigo?

¡Ay, Alonso! No lo intentes.
Yo he de apurar gota á gota
mi dolor hasta las heces.   2670

CISNEROS.   ¡Desdichada! ¿Qué consigues
con esto? Piénsalo. Desde
que el Príncipe entró en sospechas,
nos odia, nos aborrece.
No ha permitido siquiera   2675
que le veamos, ni esperes
que se ablande . . .

CATALINA.   ¡Era tan justo
su rencor! . . . Aunque viviese
cien años no olvidaría
aquel momento solemne.   2680
—¡Porque me ama! . . . Estoy segura.
¡Ah, sí lo estoy!—Su rugiente
cólera fué como el rayo
que ilumina cuando hiere.
Sus quejas eran gemidos,   2685
esos gemidos que suele
lanzar quebrantado el pecho

cuando un desengaño siente.
Y en mí fijaba sus ojos,
¡sus tristes ojos! con ese   2690
afán angustioso y blando
del que espera y del que teme.
¡Me ama! ¡Me ama! ¡Oh! ¿Quién diría
que mi corazón pudiese,
feliz y á la vez herido,   2695
regocijarse y romperse?

CISNEROS.   Estás loca, Catalina,
loca estás; pues aunque fuesen
tus esperanzas fundadas,
¿de qué podrían valerte?   2700
Quiero suponer que atinas;
mas ¿quién la distancia vence
que hay de tu origen oscuro
al sucesor de cien reyes?
Porque imaginar que en mengua   2705
de tu honor... ¡Eso me enciende
la sangre!...

CATALINA.   Pura y honrada
viviré. Pero ¿no adviertes
que hay para las almas otra
patria inmortal y celeste,   2710
donde el amor que en la tierra
es imposible, florece?

CISNEROS.   Además, si es todo inútil;
si por más que te rebeles,
la muerte, insaciable y fría,   2715
sobre el Príncipe se cierne;
si están contadas sus horas,
si quizás antes que llegue

                    el sol á su ocaso . . .

CATALINA.   ¡Calla,
            calla !

CISNEROS.   Sus dolores cesen.   2720

CATALINA. ¡Morir él! . . . ¿Esto es posible?
            ¿Es posible que no encuentre
            la ciencia remedio alguno?

CISNEROS. Ya lo ves . . .

CATALINA. (*Desesperada.*)
                          ¡Ciencia impotente!
            ¡Ciencia engañosa! ¡Dios mío!   2725
            Si yo á su lado estuviese,
            lucharía, hasta postrarla,
            brazo á brazo con la muerte.
            Fuerzas amor me daría . . .

CISNEROS. Por Dios, no te desesperes.   2730
            Vamos á lejanas tierras,
            donde en ignorado albergue
            el tiempo cure tu herida,
            y yo del alma deseche
            este horror . . . ¡Pero no es fácil,   2735
            no es fácil, no! . . . ¿Qué resuelves?
            Decídete.

CATALINA. (*Con ira.*) ¿Yo? ¿Contigo
            yo?

CISNEROS.   No comprendo . . .

CATALINA.   ¿Yo verte
            siempre á mi lado? No creo
            que á tal pena me condenes.   2740
            —— Eso es dejar en la herida
            el puñal, y complacerse
            en ahondarle á todas horas. ——

      ¡Siempre!

CISNEROS.   (*Con el mayor abatimiento.*)

              ¡Desdichado!

CATALINA.   ¡Siempre!

      ¿Tú, el origen de mis males?...   2745

CISNEROS.   Pero ¿tanto me aborreces,

      hermana?

CATALINA.   Acaba de un golpe

      conmigo y no me atormentes.

CISNEROS.   ¿Es decir que estás resuelta?

CATALINA.   Resuelta estoy.

CISNEROS.   ¿Que no vienes?   2750

CATALINA.   ¡No!

CISNEROS.   (*Con decisión.*)

        Pues entonces, á gritos

      clamaré que soy hereje

      y luterano...

CATALINA.   (*Sobrecogida.*) ¡Oh, qué espanto!

      No sigas....

CISNEROS.   (*Alzando la voz.*)

           El descendiente

      de Carlos de Sesa...

CATALINA.   ¡Basta!   2755

CISNEROS.   ¡Si prefiero que me tuesten

      vivo, al tormento que paso

      y á la angustia de perderte!

      —Yo soy...—

CATALINA.   (*Interrumpiéndole.*)

         Haré lo que quieras;

      pero no grites...

CISNEROS.   Pues vénte   2760

      conmigo.

CATALINA.   Déjame al menos
verle . . .

CISNEROS. (*Resuelto.*)
         Es inútil que ruegues.

CATALINA. (*Suplicando.*)
¡La última vez! . . . ¡Moriría
de pesar si no le viese!
De rodillas te lo pido.

CISNEROS. ¡No quiero!

CATALINA. (*Apoderándose por un movimiento rápido
de la daga de su hermano, y amenazán-
dose con ella.*)
         ¿No? pues ya puedes
gritar. ¡Grita! Pero muerta
me hallarán cuando se acerquen.

CISNEROS. (*Temeroso ante la firme resolución de su
hermana.*)
¡Ah! . . . dame la daga . . . Juro
que no pretendo oponerme . . .
—No le verás . . . —

CATALINA. (*Con decisión.*)   Eso corre
de mi cuenta.

CISNEROS.   ¿Me prometes
venir luego? . . .

CATALINA.   Soy tu esclava.

CISNEROS. Pues dame la daga, y quédate.
(*Recobrando el arma.*)
¡Si yo me atreviera! . . .

CATALINA. (*Con efusión.*)   ¡Gracias,
Alonso! . . .

CISNEROS.   Volveré en breve.
¡Oh funesto amor! . . .

ESCENA II

CATALINA.

          Quería
arrancarme . . . ¡Qué crüeles
son los hombres! . . . Pero ¿cómo
lograría yo? . . . Si abriesen   2780
esa puerta . . .
(*Acercándose á la primera de la izquierda.*)
          — ¡Maldecida
puerta, que me impides verle!—
¡Y pensar que allí, entregado
al dolor, tal vez perece! . . .
¡Si esto no es cierto! Olivares   2785
se engaña . . . ¡Olivares miente!
¡Esos médicos no saben
lo que dicen!
(*Poniéndose á escuchar.*) Si pudiese
alcanzar . . . ¡Nada! . . . El silencio
pavoroso de la muerte.   2790
Sólo los sordos latidos
de mi corazón rebelde . . .
—Mas oigo pasos . . . se acercan . . .
hablan . . . ¿Quién será?
(*Asustada.*)   ¡Valedme,
cielos! Si aquí me encontraran . . .   2795
(*Buscando donde ocultarse repara en los
    cortinajes de los balcones de la derecha,
    y corre apresuradamente á esconderse de-
    trás de uno de ellos.*) ¡Ah!—

ESCENA III

D. CARLOS, *apoyado penosamente en los brazos del* CONDE
DE LERMA *y* MENDOZA, CATALINA, *oculta.*

LERMA.   Vuestra Alteza no debe
            cansar sus fuerzas...
CARLOS.   Me ahogaba
            en ese cuarto... Mis sienes
            se saltan... ¡Aquí respiro!
LERMA.   (*Ayudándole á sentar.*)
            Descansad. Estáis muy débil   280
            y quizás os perjudique...
CARLOS.   ¡Nada hay ya que pueda hacerme
            daño! ¡Mi vida se acaba!
            Dios de mí se compadece.
            Abrid, abrid los balcones,   280
            y permitid que penetren
            á darme la despedida
            los rayos del sol poniente.
            (*Con melancolía.*)
            ¡Cuántas locas esperanzas
            y cuántos sueños alegres   281
            han pasado ante mis ojos,
            como esa luz que se pierde!
            (*Mendoza descorre los cortinajes y deja des-
                cubierta á Catalina.*)
MENDOZA.   (*Sorprendido.*)
            ¡Ah!
CARLOS.   (*Reparando en ella.*)
                ¿Qué es eso? ¡Catalina!

> Tú aquí . . .

CATALINA. (*Avergonzada.*)

>   Señor . . .

CARLOS.   No te alejes.

> ¡Nada temas! ¡Ya no tengo   2815
> fuerzas para aborrecerte!
> Id, avisad á mi padre
> y señor, y si merece
> mi agonía este consuelo,
> rogadle que venga á verme.   2820
> ¡Pronto! ¡Pronto!

MENDOZA.   Mas ya sabe

> Vuestra Alteza . . .

LERMA. (*Á Mendoza.*)   Es más urgente

> de lo que pensáis el caso.

MENDOZA. Pero . . .

LERMA.   ¿No veis que se muere?

ESCENA IV

CARLOS, CATALINA, *sumida en profundo desconsuelo.*

CARLOS.   ¡Ay! Ya lo ves, Catalina.   2825

> ¡Ya lo ves! Mi desventura
> á su término camina.
> Como ese sol que declina
> y se hunde en la noche oscura,
> hacia la tumba cercana,   2830
> fin de la soberbia humana,
> avanzo el medroso pie.
> ¡Pero el sol vendrá mañana,
> y yo nunca volveré!

    ¡Sombra, eternidad, misterio,   2835
    ya llegáis!...

CATALINA. (*Sollozando.*) Aun Vuestra Alteza
    romperá su cautiverio,
    para aumentar la grandeza
    de este dilatado imperio.
    Os quedan altos deberes   2840
    que cumplir. ¡Gloria y placeres
    os brinda el mundo!

CARLOS. (*Con amargura.*) ¿Aun no estás
    contenta? ¿Para qué quieres
    que vuelva la vista atrás?
    ¡Grandeza, gloria mentida!   2845
    Quiso el cielo que naciera
    en la cumbre esclarecida,
    sin duda para que fuera
    más ejemplar mi caída.

    Pero á medida que crece   2850
    mi angustia mortal, despierto
    al desengaño, y parece
    que ante el sepulcro entreabierto
    mi ambición se desvanece.

    De toda gloria alcanzada   2855
    ¿qué le queda al hombre? Nada.
    Sólo la tumba en que yace,
    y ésa la tiene ganada
    sin luchar, desde que nace.

    Ya no anhelo, ya no ansío,   2860
    ya en mi corazón no influye
    el afán de poderío,
    que pasa, se pierde y huye
    como las ondas de un río,

y así como van al mar   2865
en rauda y continua guerra,
yo también iré á parar
á un breve espacio de tierra
que por fuerza me han de dar.
¡Muerte! Tu equidad alabo,   2870
que en tu regazo profundo,
lo mismo pesan al cabo
las cenizas de un esclavo
que las de un dueño del mundo.

CATALINA. ¿Á qué, señor, esa queja   2875
inútil, cuando después?...

CARLOS. ¡No, no! La vida me deja.
La ambición sólo se aleja
de los muertos. ¿No lo ves?
No me duele haber caído,   2880
hoy que los vivos destellos
de la verdad me han herido:
siento la traición de aquéllos
á quienes más he querido.

¿Adónde podré volver   2885
la vista que no halle dolo?
¡Ah! Triste cosa es perder
la vida engañado y solo...

CATALINA. ¿Hay más infeliz mujer?
Os oigo hablar y me agito   2890
desesperada y sombría,
que si en mi afán infinito
gritara, mi ronco grito
los cielos traspasaría.

Me maltratáis y os perdono.   2895
Ni siquiera me defiendo.

¿Qué he de decir en mi abono,
si en vuestro terrible encono
no veis que me estoy muriendo?
¿Qué puedo deciros? Nada.   2900
¡Nada! Lloraré mi suerte...

CARLOS.   ¡No, no! ¡Si quiero creerte!
¿Cómo has de ser tan malvada
que te burles de la muerte?
La eternidad muda y fría   2905
se levanta entre los dos.
¡No mientas!

CATALINA.   Eso sería
querer engañar á Dios
y Dios me castigaría.

CARLOS.   ¡Su santa bondad proclamo!   2910
Sufro tormentos atroces.

CATALINA.   ¿Las lágrimas que derramo
no están pregonando á voces
que os amo?...

CARLOS.   ¡Ay de mí!

CATALINA.   ¿Que os amo?
¿Á qué ocultar mi pasión?   2915
De mi propio pensamiento
se escapa esta confesión,
sin querer, como un lamento
del fondo del corazón.
Harto la tuve escondida   2920
y ahogada... ¡Callar no puedo!

CARLOS.   (Con inefable ternura.)
¡Oh dicha no merecida!
Sigue, sigue... ¡Tengo miedo
de que me falte la vida!

Tu amante voz me enajena   2925
y en mis oídos resuena
con melancólico encanto.

CATALINA.   ¡Ay, he guardado mi pena
tanto tiempo, tanto, tanto!...
Nunca la hubierais sabido   2930
siendo feliz, que hice voto
de callar y le he cumplido.
¡Mi pecho se hubiera roto
sin exhalar un gemido!
No aspiraba á la ventura   2935
de llegar á vuestra altura;
mil veces, y esto me aflige,
— ¡ay, perdonad mi locura! —
gloria y grandeza maldije.
Mas ya puedo, sin temor,   2940
dar rienda á mi desvarío.
¡Sois desgraciado, señor!
Sufrís... ¿Quién vuestro dolor
puede disputarme? ¡Es mío!
¡Es mío!

CARLOS.   (Con amargura.)
                           ¡Oh, fortuna fiera!   2945
deslumbróme una quimera
y tras su engaño corrí,
sin sospechar que estuviera
tanto amor cerca de mí.
Y hoy que me despide el mundo,   2950
hoy que me rindo al desmayo
mortal, eterno, profundo,
él es el único rayo
que ilumina al moribundo.

CATALINA. Tal vez de una triste historia   2955
           sois la víctima expiatoria . . .
           — Qué os decía? No me acuerdo . . .
           no sé . . . ¡Parece que pierdo
           con el dolor la memoria!—
CARLOS.   (*Desvaneciéndose.*)
           ¡Silencio! Ahí está la muerte . . .   2960
           se acerca . . . —¡No me da enojos
           sino el temor de perderte!—
           ¡Ay, Catalina! Mis ojos
           se nublan . . . ¡No alcanzo á verte!
           La inmensidad me rodea . . .   2965
CATALINA. (*En el colmo de su desesperada angustia.*)
           ¡Si no es posible que sea
           verdad!
CARLOS.   (*Buscándola con la vista.*)
                        ¡No te apartes, no!
CATALINA. ¿Cómo pretendéis que os crea
           si aun aliento y vivo yo?
           ¡Ay, mi razón se extravía!   2970
           (*Llamándole con afán.*)
           ¡Señor, señor! . . .
CARLOS.   (*Extraviado.*)   Es en vano
           resistir. ¡Dios me la envía!
           Tu mano . . .
CATALINA.   Escuchad . . .
CARLOS.   (*Desfalleciendo.*)   ¡Tu mano
           por vez postrera! . . .
CATALINA. (*Estrechando la del Príncipe con pasión,
             exclama horrorizada:*)
                                  ¡Está fría!
           ¡Fría! . . . ¡Se muere! . . .

CARLOS.   ¡Oh bondad   2975
          divina, á ti me encomiendo!

ESCENA V

D. CARLOS *en la agonía.*   FELIPE II, EL CARDENAL ESPI-
NOSA, EL PRÍNCIPE DE ÉBOLI, EL CONDE DE LERMA,
MENDOZA, *señores de la corte y* CISNEROS.

CATALINA.   (*Corriendo al encuentro del Rey con la
               mayor exaltación.*)
          ¡Ay, señor!   Se está muriendo.
FELIPE.   (*Lanzándose hacia D. Carlos. El Car-
               denal Espinosa y Éboli pretenden dete-
               nerle.*)
          ¡Hijo!
CARLOS.   ¿Quién es? . . .
FELIPE.   (*Ásperamente á los que le detienen.*)
                                Apartad.
CARLOS.   (*Reconociéndole, toma la mano del Rey y
               la lleva á sus labios.*)
          ¡Padre! ¡padre!   Me cegó
          la ambición.   ¡Dios me castiga!   2980
FELIPE.   (*Enternecido extiende sus manos sobre la
               cabeza del Príncipe.*)
          ¡Muere en paz!   Él te bendiga
          como te bendigo yo.
CARLOS.   (*Espirando.*)
          ¡Ya es hora!
          (*Todos rodean al Príncipe ocultándole á
              la vista del público. El Rey, profunda-
              mente conmovido, contempla el cadáver

> de D. Carlos y parece orar. Catalina y
> Cisneros, al extremo opuesto de la es-
> cena, hablando en voz baja y contenida
> hasta el fin del acto.)

FELIPE.   (*Alzando los ojos al cielo y con voz en-
> trecortada.*)

> > > > ¡Tú me le diste,
> tú me le quitas!

CISNEROS.   (*Sobrecogido de terror invencible.*)

> > > > > No acierto
> á hablar ...
> (*Á su hermana.*)

> > > > > > El Príncipe ha muerto.   2985

CATALINA.   (*Trastornada.*)
> ¡Ah! ¡Mientes! ¡Mientes!

CISNEROS.
> > > > > > > ¡No existe!
> (*Agarrándola violentamente del brazo.*)
> Vamos de aquí ...

CATALINA.   (*Perdiendo el juicio.*)   ¡Dulce paz
> del alma! ¡No me desdeña!...
> (*Cada vez más extraviada.*)
> ¡El tablado ... el haz de leña!...
> (*Á Cisneros, con acento breve y ahogado.*)
> ¡Ah, verdugo! ¡Aparta ese haz!   2990

CISNEROS.   (*Aterrado, sacudiéndola del brazo con fre-
> nética energía.*)
> ¡Hermana!

CATALINA.   (*Sin conocerle.*)

> > > > ¿Tú eres mi hermano?
> ¡No, no eres tú!...

CISNEROS.   (*Con desgarradora angustia, mirando á
> Catalina.*)

                           Estuve ciego.

¿Ya qué aguardo?

(*Gritando con voz ronca y desesperada.*)

                      ¡Al fuego! ¡Al fuego!

FELIPE.   (*Saliendo penosamente de su abatimiento.*)

          ¿Quién turba?...

CISNEROS.   ¡Soy luterano!

        (*Todos se vuelven á mirarle con horror, y cae el telón.*)

NOTES

The action begins on the morning of January 18th, 1568, the first three acts taking place on that day; the fifth act on the 24th of July, 1568, and the fourth some days previous.

TITLE AND CHARACTERS.

Haz has reference to the bundles of sticks or fagots used in the fires of the *autos de fe*. Act II. (scenes 8, 9, 12) explains the connection.

1 and 2. **Catalina** and **Mónica**, her *dueña*, are creations of the poet.

3. **Don Carlos de Austria** (for Don Carlos see introduction): **de Austria** is the title of members of a branch of the Austrian house of Hapsburg which occupied the Spanish throne from 1516, the date of the accession of Charles I. (cf. I., Stage Directions below and introduction page xx), whose father was Philip, Archduke of Austria, to 1700, the death of Charles II., the last of the Spanish family.

4. **Alonso Cisneros:** flourished about 1580. He was a native of Toledo, and in the early part of his career he was attached to the company of Lope de Rueda, a famous actor and playwright. As *autor*, that is, head of a company of actors, he became one of the most famous of his profession, and his renown survived far into the 17th century. Alonso López Pinciano, in his *Philosophía Antigua Poética*, Madrid, 1596 (page 128), says of him: "When I see that Cisneros or Gálvez is going to act, I run all risks to hear him; and when I am in the theatre, winter does not freeze me, nor summer make me hot." Agustín de Rojas, in *El Viaje Entretenido*, Madrid, 1603 (cf. edit. Madrid, 1793, 2 vols.; volume I., page 278), gives Cisneros credit for contributing to the perfection of the con-

temporary drama by adding more costly scenic effects and by a greater display in costumes. Lope de Vega, in his *El Peregrino en su Patria*, Madrid, 1604 (cf. edit. Ant. de Sancha, Madrid, 1776–79, 21 vols., volume 5, page 462), says that Cisneros was beyond compare since plays were first invented. Cabrera, in his *Historia de Felipe II.*, Madrid, 1619 (cf. edit. Madrid, 1876–7, volume I., page 557), calls him *ecelente representante*. Cassiano Pellicer, in his *Origen de la Comedia*, Madrid, 1804 (2 vols., volume I., pages 60, 61), and after him, L. F. Moratín, in his *Origen del Teatro Español* (cf. Biblioteca de Aut. Esp., Rivadeneyra, Madrid, 1846–80, volume II., page 207), attribute to Cisneros a play entitled *Callar hasta la Ocasión*. A play of that title exists (printed Madrid, 1663, *Comedias Varias*, parte 20.), with its author given as Don Juan Hurtado y Cisneros. From its style, verse, and diction may be inferred, however, that it was written long after Cisneros' day, *i.e.* long after 1573, the date given it by Moratín. In *El Haz de Leña*, Cisneros is by poetic licence made the son of Don Carlos de Seso. (Cf. lines 496, 1133 and 1223. (Cf. also Ticknor, *History of Span. Lit.*, 3d. American ed., Boston, 1866, volume II., page 74.)

5. **Felipe II.** See introduction.

6. **Conde de Lerma :** Francisco de Sandoval y Rojas, 1552–1623. In his youth he was *menino* or page to both the princes Don Carlos and Don Felipe, second son of Philip II; later chief minister in the corrupt government under Philip III., he inaugurated an unscrupulous system of office-selling for private ends, acquiring through these means a fabulous fortune. He fell into disgrace in 1618, and was fined to pay 72,000 ducats annually, besides twenty years' arrears from the fortune stolen during his ministry.

7. **Don Rodrigo de Mendoza :** mentioned by contemporaries as a young courtier of estimable character ; he belonged to the household of Don Carlos who was greatly attached to him.

8. **El Cardenal Espinosa :** 1502–1572. Of noble blood, he rose rapidly through his sagacity and prudence to the presidency of the Council of State and of Philip's inner Council. He was made Inquisitor-general 1567, Bishop of Sigüenza 1568, and Cardinal 1568, after Don Carlos's imprisonment. He was honest and capable, but a fanatic. He fell from power because of certain autocratic ways which he dared to display even in the presence of

Philip.   At one of the sessions of the inner Council he at last aroused the anger of the imperturbable Philip, and it was generally reported afterwards that the severity of the king's rebuke had given the Cardinal a paralytic stroke.   Pronounced dead, preparations for embalming him were made with such haste, that upon cutting him open, his heart was seen still to beat.   His rise and fall had come within the remarkably short period of five years.

9. **El Príncipe de Éboli.**   Ruy Gómez de Silva, 1517–1573, was Philip's page and companion in the latter's youth, later one of his chief advisors as member of the inner Council, Secretary of the Treasury, *Mayordomo* and *Ayo* or governor of Don Carlos.   He was an ideal courtier in his adaptability to the manner and personality of the king, whose favor he enjoyed until his death.

10 and 11.   Barón de Montigní and Conde de Berghén: (cf. introduction) two nobles of the Netherlands.   The former, brother of Count Hoorn (cf. line 279), was imprisoned 1567 and strangled 1570 at Philip's orders; the latter (his name is more frequently given as Conde de *Berghés*) died 1567, before the warrant for his arrest, which had already been issued by Philip, had reached him.

12. **Duque de Feria:**   Grandee of Spain, died 1571 ; a member of Philip's inner Council, as was also

13. **El Prior Don Antonio de Toledo:**   died 1579; he was a brother-in-law of the Duke of Alba and a noted prelate and statesman.

14. **Don Diego de Acuña:**   a gentleman of the king's chamber.

15 and 16. **Santoyo and Bernate:** *ayudas de Cámara* (valets). These names are historical.   The text reads *Santoro*, which seems a misprint.

17. **Monteros de Espinosa:**   the body guard of the royal bedchamber ; tradition says that *la guardia de los Monteros de Espinosa* was originally instituted about 1013 by Sancho García or Garcés, Count of Castille, and kept up by his descendants who in time became kings of Castille.   A certain mountaineer, named Peláez, from the village of Espinosa, having discovered and foiled a plan to murder the count, both he and other natives of Espinosa were rewarded for this act of loyalty by the privilege of watching thenceforward over the count at night.

ACT I.

STAGE DIRECTION. — Philip's working-room, to coincide with his tastes, must be imagined most simple, even austere and unimposing.

Primer término, segundo or **medio término,** and **tercer** or **último término** or **el fondo,** are stage terms corresponding to *foreground, center* or *middleground,* and *background.* Cf. Act II., opening directions.

Charles V. (Carlos I. of Spain) : born 24th Feb., 1500, at Ghent, was the oldest son of Philip, Archduke of Austria, and Juana, known as *the Mad,* daughter of Ferdinand and Isabella of Spain. Elected Roman Emperor 1519 and crowned 1520, his reign was filled with wars, chiefly with France, and struggles with rising Protestantism. He dreamed of a federation of the world under his sway, but, beset by an apathy which he inherited from his mother, and worn out by the failure of his plans of religious and political unity, he retired (1556) to the monastery of Yuste in western Spain. Even there his influence was still great, and he preserved — contrary to the accepted story — in his outward existence at least, the glamour of royalty. He died in the year 1558, and his remains repose in the mausoleum of the Escorial.

Doña Isabel : Isabella of Portugal, born in Lisbon 1503, died 1539. She was married to Charles V. in Sevilla in 1526.

1. **doctos varones :** called *gravísimos doctores* in Cabrera's history, his version being that Philip consulted Gallo, Bishop of Orihuela (southeastern Spain) and Fray Melchior Cano, Bishop of the Canaries, besides famous lawyers, on the manner of prosecuting his son.

45. **Fray Diego de Chaves :** 1504–1595, was confessor to Philip and Don Carlos.

49. **razones :** according to some reports, statements made by Don Carlos to his confessor regarding the "mortal hatred" which he bore his father. Irregularity in church-service on the part of the Prince was also rumored.

53. **Fray Juan de Tobar :** Cabrera merely mentions a *Canónigo Tovar* which may have suggested the name to Núñez de Arce.

59. **Flandes** (see introduction): Flanders (here synonomous with *the Netherlands*) was at first the name of one of the Netherland provinces, becoming in the course of time the chief part which remained under Spanish rule after the partition of 1648, when a portion of the original province of Flanders went to the Dutch Republic. The use here of the term Flanders is anachronistic, since in Philip's time these Provinces were referred to as the *Países Bajos*.

61. **El Duque de Alba:** 1508–1582, at that time (1567–1573) in command of the Spanish forces in the Netherlands. He was a man of extraordinary force and was considered by both Charles V. and Philip II. as their greatest general, but his methods were cruel and fanatic. Tradition says that he supplied the hangman with 18,000 victims. *Primo:* Philip, in his letters to Alba, who was *Grande de España* (cf. note to line 1111), addressed him *duque primo* or *ilustre duque, primo,* just as the king of England addresses members of the peerage, *my noble cousin.*

91. **Juan de Herrera:** 1530–1597. He studied under the famous Juan Bautista de Toledo, whom he succeeded as Philip's chief architect.

95. **El Escorial:** 32 miles N.W. of Madrid, the full name being *El Real Monasterio de San Lorenzo del Escorial,* or occasionally also *San Lorenzo el Real de la Vitoria.* It is thought popularly to owe its erection to a vow made by Philip during the battle of St. Quentin, 1557, where the Spanish forces gained a victory over the French. It really owes its existence to Philip's desire to build a memorial church and monastery in honor of his father, Charles V. He conceived the idea of combining a country residence with the monastery. The Escorial was planned and in part begun by Juan Bautista de Toledo, 1563, and was carried out by his famous successor, Juan de Herrera. Though Philip spared no expense on his favorite abode, its sombre and unimaginative character shows how little care or money he was willing to devote to purely decorative features. It was substantially completed in 1584, but later additions, chiefly of a decorative nature, were made by subsequent monarchs. The ground-plan is supposed to represent the gridiron on which San Lorenzo suffered martyrdom. Joined to the palace, and considered the finest part of the Escorial, is the church itself, whose nave is covered by a magnificent cupola (line 94) 312 feet

above the church floor.   The style is late Renaissance, the Doric
order prevailing.

105. **le he concedido una audiencia :** variant in *Autores dram. con-
temp. y joyas del Teatro esp. del Siglo XIX.*, vol. II., Madrid [1886].

106. **Asturias:** formerly two principalities of *Asturia*, hence
plural.   They were joined to Castille in 1230, and since 1388, when
Juan I. conferred the title on his son Enrique III., the heir appar-
ent to the throne has been called *Príncipe* or *Princesa de Asturias.*
Early historians say that the title originated in imitation of the
English title *Prince of Wales.*   Asturias was chosen for the title
since it was the cradle of the Spanish monarchy.

112. **burlas:** *be sorry for his jokes*, or *forget his farces*, with a
hit against the actor's profession which Philip II. did not encour-
age as did his successors, Philip III. and IV.

120. Cabrera relates this incident, Book 8, chapter 22.   Espinosa
had prevented Cisneros from acting before the Prince.

131. **histrión:** in a derogatory sense of *trickster* or *mountebank.*

142. **gracioso:** the conventional comic figure of the Spanish
stage.   He is most frequently a servant, tricky, sly and witty,
duplicating the rôle of his master by making love to the servant
of his master's mistress.   His popularity as a clown made him the
soul of the *entremés* (line 141) or one-act farce, played between the
acts of a *comedia.*   In the drama which succeeded Lope de Vega,
i.e. toward the latter half of the 17th century, he became a somewhat external addition, pretentious and exaggerated.

198. Montigny had already been arrested in the winter of 1567,
hence before the opening of the play, but the necessity of the conspiracy to the plot of the drama justifies the anachronism.

279. **Los Condes de Horn y de Egmont:** Philip, Count of Hoorn
or Hoorne, born 1520, a famous patriot of the Netherlands ; he
desired to preserve the rights of the nobility, was arrested by the
Duke of Alba 1567, on a charge of leading in the revolt against
Spain, and put to death 1568.

Egmont: Lamoral, Count of, born 1522.   At first highly hon-
ored by Philip II. for services which he rendered the Spanish king
in his war with the French in 1557 and 1558 (in which years Egmont, in command of the Spanish cavalry, helped to win the battles
of St. Quentin and of Gravelines), he joined the opposition against

Spanish misrule, was arrested together with the Count of Hoorn on a charge of treason, and beheaded 1568.

282. The play opens on January 18th, 1568; Hoorn and Egmont were not beheaded until June 5th of the same year.

286. **El príncipe de Orange :** William I., Prince of Orange, born 1533. Both Charles V. and Philip II, loaded him with honors. He espoused the cause of the oppressed Dutch, and aroused by Alba's cruel regime, became the avowed leader of the Protestant party. A great champion of religious and political liberty, he is called the founder of the independence of the Netherlands. He was assassinated in 1584.

324. The regular close of condemnatory decisions in criminal cases.

337. Cf. Bk. of Daniel, chapter 2.

396. Cf. introduction, page xxiii.

413. **cuadrilla :** a good idea of the nature of these companies of actors and of the life which they led, can be got from Agustín de Rojas' *El Viaje entretenido*, Madrid, 1603 (available in a new edition, two volumes, Madrid, 1901, *con estudio crítico por D. Manuel Cañete ;* cf. also Ticknor's *History of Spanish Lit.*, 2d period, chapter 39, or Fitzmaurice-Kelly's *History of Spanish Lit.*, pages 211–12), and from *Don Quijote*, 2d part, chapter 11.

446. Var., *no me asusta*, cf. note to line 105.

454. Var., *las glorias*, cf. note to line 105.

496. On a play entitled *Callar hasta la ocasión*, cf. 4 under *Titles and Characters* above.

ACT II.

559. **dueña :** in refined or noble Spanish families, the *dueña* was an elderly lady in charge of the young women of the household. In Spanish dramas her position is often that of *confidante* or guardian ; occasionally she is given a less refined, comic rôle, and plays the part of go-between for lovers. See Lope de Vega's *El Acero de Madrid* or Calderón's *Guárdate del Agua Mansa.*

578. **San Antonio :** St. Anthony of Padua, 1199–1231, was wont to be invoked in the midst of all kinds of dangers or accidents, as of assassins, fire, floods, shipwreck, etc.

612. **Santo Oficio**: the Inquisition. It was organized in 1231 under Gregory IX. In 1480 it became a permanent ecclesiastical court in Spain under Ferdinand and Isabella. Its power was at its height in the 16th century. In the 18th, the tribunal was rapidly losing power (the last heretic having been burned 1781), though it still existed in Spain as an institution up to 1833. It was formally abolished in 1834, and its property was confiscated in 1835. The number of its victims has been put fancifully at 340,000. Catholic writers place it as low as 4000, but no authentic figures are at hand.

629. var., *esto prueba*, cf. note to line 105.

652. **Hay cada robo de noche**: *there is many a case of robbery at night.*

769. **Pavía**: (north-central Italy). Here Francis I., king of France, was defeated and taken prisoner by Charles V., February 24th, 1525. The victory may be said to mark the height of Charles's power in Europe.

843. **¡Vítor!**: shout of applause.

880. var., *padece y goza*, cf. note to line 105.

899. Cf. the half serious, half comic *plática* by Don Quijote, Part II., chapter 12.

905. Trans.: *Why talk of the matter?* or, *What concern have we with that?*

1007. **Buitrago**: a village 40 miles north of Madrid.

1031. An opinion actually expressed by the Marquis of Berghes, and which aroused Philip's suspicions as to his sincerity in the Catholic Faith. Cf. Gachard's work cited in bibliography, volume II., pages 339–40.

1042. J. A. Llorente, at one time secretary of the Inquisition, in his History of the Inquisition (Paris, 1817–1818), says that Don Carlos, after having seen his first *auto de fe*, conceived a mortal hatred for the Inquisition. It is not known on what evidence Llorente makes this assertion, his frequent misstatements leading one to doubt his word in this case.

1056. **Valladolid**: John II. made Valladolid his chief place of residence in the beginning of the 15th century, and up to 1560, when Madrid took its place, it was the capital of Spain. Philip III. again transferred his court to Valladolid for the short space

1601–1606, but a remonstrance and an offer of money on the part of the inhabitants of Madrid, who were being ruined by the absence of the court, brought him back to their city.

1064. This happened in the summer of 1559. Philip had gone to England in 1554 to wed Queen Mary, and had left England never to return thither, in July 1557. Since Mary died in November, 1558, Philip had no longer any reason for going back, and consequently took up his abode in Brussels, the chief city of his Netherland provinces.

1076. This historical *auto de fe*, in which eighteen heretics were burned, two of them alive, was held on Sunday, October 8th, 1559, at Valladolid. It was celebrated in the presence of Philip, though it is not sure that he also viewed the second act of the ceremony, i.e. the burning of the victims. Two hundred thousand people from all parts of Spain are said to have been present on this occasion. The *auto de fe* consisted of two acts or ceremonies for *the glory of God and the Holy Catholic Church*. The first was an elaborate procession to the city-square (*Plaza mayor*) with the green cross (line 1088), the emblem of the Inquisition, on the day preceding the execution of the condemned. In the second act, on the day itself, the victims were conducted ceremoniously to the Square to listen to a sermon on the Faith and lastly to their sentence. That it might not be said that the Church shed blood, the victims were handed over to the civil authority of the Corregidor, i.e. the municipal head or town governor. The death sentence, from which there was no appeal, was : *We confide the culprits to the justice of his Magnificence, the Corregidor, to whom we recommend to treat them with kindness and pity*. The procession then moved to the *quemadero* outside the city where those condemned to death were burned. Those who recanted were strangled first. Not all victims were put to death ; those merely suspected of heresy or guilty of lesser crimes were condemned to prison for periods varying in length. Cf. Adolfo de Castro, *Historia de los Protestantes españoles y de su persecución por Felipe II.*, Cadiz, 1851, pages 157–160,176; Menéndez y Pelayo, *Historia de los Heterodoxos españoles*, volume II., page 348 ff, and a description of an *auto de fe* in Le Sage's Gil Blas, Book 12, chapter 1.

1111. **Títulos:** the *títulos* are the nobility whose titles are, *Mar-*

qués or *Duque, Conde, Vizconde,* and *Barón*. The *Grandes* consti
tute the highest nobility, whose special privilege of covering the
head in the presence of their sovereign was first granted them by
Charles V. He divided his *Grandes* into three grades differing in
the ceremony of covering the head. The king addresses the *Títulos*
as *mi pariente,* the *Grandes* as *mi primo.*

1116. **Sambenito:** the condemned carried candles and wore high
pointed cardboard hats decorated with flames and devils, together
with a *sambenito,* a death-robe or coat in yellow, decorated with
a Saint Andrew's cross.

1133. **Don Carlos de Sesa:** (the rhymes of lines 1225 and 1404
require this spelling, though the name is found as *Seso, Sesso* and
Sesse, in authorities), a Florentine nobleman and godson of Charles
V., condemned for heresy and burned alive at Valladolid by the
Inquisition, October 8th, 1559. That Philip actually witnessed the
inflicting of the penalty as here described is not probable, and
cannot be stated with any authority.

1144. Almost reproduces the words which, according to several
historical works, Philip addressed to Seso. Cf. Adolfo de Castro,
Historia de los Protestantes españoles, Cadiz, 1851, pages 178 and
184. The words are also to be found in a letter by the Bishop of
Limoges, the French ambassador at Madrid, to Catharine de' Medici,
1562. Cf. Gachard (work cited in bibliography), volume I., page
57. According to Cabrera Philip said, *yo traeré leña para quemar
á mi hijo si fuere tan malo como vos.*

1150. **brasero:** a stake in the *quemadero,* which was the spot
where the stakes of the *auto de fe* were set up.

1153. Of the victims burned alive at this *auto de fe,* not Don
Carlos de Seso, but a certain Juan Sánchez broke his bonds and
jumped about. Upon seeing how bravely Don Carlos de Seso was
suffering death by fire he threw himself into the flames. Cf. Menéndez y Pelayo, work cited, line 1076, page 354.

1184. **mi secreto:** that he is the son of Don Carlos de Seso.

1228. the key to the intrigue, i.e., the motive of Cisneros' desire
for revenge. Cf. lines 1141–1144, and 4 under *Title and Characters*
above.

1232. The property of a man condemned for heresy was con
fiscated and his posterity disgraced.

ACT III.

1248. **correrla** or **correrlas**: to consume the hours in idle diversions ; *la* or *las* stand for an indefinite object.

1321. The Church was intolerant of professional comedians, and notably during the austere reign of Philip II., there were many who considered the stage as the stronghold and instigator of all kinds of vices, and who consequently looked on the *representante* as unworthy of social privileges (lines 1311–1314), as well as unfit to be admitted to the rites of the Church. Cf. Juan Mariana's *Tratado contra los Juegos Públicos* (1590), chapter 10, entitled, *que los farsantes están privados de los sacramentos.* (Cf. *edition Biblioteca de Autores Esp. Rivadeneyra*, volume 31.) It is of interest in this connection that when Molière died, the last unction and decent burial were denied him by the Church because of his profession. In Spain, on the other hand, some of the men famous in the drama, like Lope de Vega, Tirso de Molina, Calderón were also connected with the Church. The attitude toward the stage had greatly changed, however, for Philip III. and IV. were great patrons of the drama.

1418. **Osorio**: *guardarropa* to the Prince, was in fact sent by him on secret expeditions to borrow money for his prospective flight from Spain.

1428. See Introduction, page xxiii.

1468. Don Carlos paid his respects to the king on the latter's return to Madrid, the night before his arrest. The king, in a characteristic way, notwithstanding his decision already reached to arrest the Prince, concealed it beneath a calm and friendly exterior.

1469. **fiesta**: here equivalent to *reception* on the king's return to Madrid from the Escorial.

1470. **la Reina doña Isabel**: Elizabeth de Valois, 1545–1568, daughter of Henry II. and Catherine de' Medici. Cf. Introduction.

1553. all texts read *habléis*, an unwarranted subjunctive.

1728. Cf. lines 1242 and 1243.

1731. These were servants in attendance on the Prince, and are mentioned in an existing list of the personnel of his household.

1746. **no me duelen prendas**: means, I am good for that to which I pledged myself. The thought is to be found complete in the very common proverb, *al buen pagador no le duelen prendas.* Sancho Panza is very fond of this proverb. Cf. *Don Quijote*, II., chapters 14, 30 and 34.

1819. **Menga** and **Brito** (line 1838): conventional names in Spanish drama for shepherds, servants, etc.

1823. var., *para el regalo.* Cf. note to line 105.

ACT IV.

1905. Olivares: *médico de Cámara*, one of the many court-physicians mentioned as having charge of the sickly Prince.

1918. **cristiana condición**: in spite of his being a Christian against whose creed it is to commit suicide.

1921. *sus excesos*: see Introduction on his manner of living after his imprisonment.

1942. To Cabrera is due the report that Philip formed a council (*junta*) presided over by the Cardinal Espinosa, to investigate and render judgment on the case of his son Don Carlos. The documents supposed to contain the minutes of the process were examined, 1808, and found to have no connection with Don Carlos. Cf. note to line 1. Whether any real minutes of a process ever existed has not been learned.

2206. **miembros del Consejo**: Philip's inner or secret Council, consisting of five members besides the king. Cf. *Title and Characters* above.

2214. Cf. lines 1 and 1942.

2262. Cf. lines 117 ff. and 421 ff.

2471. **el cerco de Roma**: On May 6th, 1527, Rome was besieged and taken by united Spanish and German mercenary troops under the leadership of Charles, Constable of Bourbon, the commander-in-chief of the imperial forces in Italy, and the German *condottiere* Frundsberg. The hungry and unpaid horde of soldiers sacked the Eternal City for two months. The Pope, Clement VII., and seventeen Cardinals were obliged to surrender. When the news of what had been done by the imperial troops reached Charles V., he hastened to express his profound chagrin by letters to all the Princes of Europe; he ordered his court into mourning and bade the clergy offer prayers for the Pope's liberty (line 2479), but seeing his own advantage in Clement's situation, he did nothing to effect this liberty himself.

2474. **el cayado y la tiara**: the Pope's insignia, i.e. crosier and mitre.

ACT V.

2956. **sois**: all the texts have *soy*; not only the logical trend of the dialogue, but the fact that *Don Carlos* is the victim of Cisneros' desire for revenge justifies *sois*.

2983. In *El Príncipe Don Carlos*, by Diego Ximénez de Enciso (see bibliographical note), Philip, on hearing of Carlos's death, exclaims, *¡no es mío lo que he perdido! ¡Dios lo dió, Dios lo quitó!*

2989. **tablado**: the *cadalso* or scaffolding raised for the *autos de fe.* Cf. lines 311, 312.